现代人饮食系列

中国药膳食谱

潘朝曦　著

上海科学普及出版社

图书在版编目（CIP）数据

中国药膳食谱／潘朝曦著。－上海科学普及出版社，2001.3
ISBN 7-5427-1904-1

Ⅰ.中…　Ⅱ.潘…　Ⅲ.食物疗法－食谱　Ⅳ
.TS972.161

中国版本图书馆CIP数据核字（2000）第80924号

版权策划　　胡名正
责任编辑　　张　帆
技术编辑　　杨振农

现代人饮食系列

中国药膳食谱

潘朝曦　著
许淑柳　食谱指导

出版　上海科学普及出版社
　　　（上海曹杨路500号　邮政编码 200063）
发行　新华书店上海发行所
印刷　上海出版印刷有限公司

开本　889 × 1194　1/16
印张　7.5
版次　2001 年 3 月第 1 版
印次　2001 年 3 月第 1 次印刷
印数　1-8000

ISBN 7-5427-1904-1／R · 137
定价：38.00 元

本书简体字版由台湾汉光文
化网路股份有限公司授权。

上海市版权局著作权合同登
记号：图字 09-2000-460 号。

作者

　　潘朝曦先生，1949年11月生于江苏中医世家。毕业于南京中医学院本科，上海中医学院硕士，师从当代中医泰斗、著名中医内科学家张伯臾教授。1988年受聘兼任上海康复食疗协会食疗科主任，主持创建了上海市第一家由政府批准的食疗餐厅。现任中国上海中医学院教授。医学著作有《中医内科临床手册》、《中医奇法偏方》和《简明中国针灸》等。

食谱指导

　　许淑柳小姐，1968年生，台湾省台南市人。
　　曾任微波炉食谱开发及教学工作、连锁家庭式餐厅商品开发工作，多次获得中餐烹饪竞赛的奖项。

作者序

　　药膳，是我们祖先的一大发明。它寓药于食，既美味可口，又可防病治病，不仅是中医宝库中的一件瑰宝，也是中国饮食文化中的一朵奇葩。创制四千余年来，备受历代医家的重视和中国广大民众的欢迎。

　　近年来，随着医学、科学的进步，化学药物的局限性及其所带来的药源性疾病的危害，正日益被人们重视和认识，回归大自然已成为人们对医疗保健的一个新的要求。药膳，这一无副作用而人们又乐于接受的自然疗法，更受到了国际上的重视和青睐。

　　目前，一个前所未有的药膳热，正在国内外兴起。但是，由于人们对药膳的认识和理解的不同，出现了两种不同的偏向。其一，追求药膳美味，不重视实际疗效；其二，重视疗效，但又药味太重，口味不佳。为克服这两种偏向，达到药膳美味与实效的完美统一，近十余年来，我在研究宫廷、民间、医籍大量药膳文献的基础上，对药膳进行了新的创制。在调配上，力求做到药物性味功效和食物性味功效的统一，并尽量选取临床上疗效高，而药味又不太怪异的药物入膳。由于古今烹制方法的殊异，我们又从营养学和药理学角度对药膳的烹制做出一些科学的规定。

　　本书即是我们这一研究成果的汇集，书中列入了16项常见病种，并针对每项病种列举5道药膳食谱，每道食谱都经过临床对症应用，效果肯定，上海电视台和有关报刊均有较佳的评定。药膳中的材料多为常见、易于购得的，且烹制方法介绍详实，便于家庭及药膳餐馆制作。

唐代大医家孙思邈说："凡欲治病，先以食疗，既食疗不愈，后乃药尔。"说明药膳是中医治病的首务和传统。本书只是我近年来研究中国药膳的初步和部分成果。医乃仁术，我愿以仁心，再接再厉，研究出更多更好的药膳配方，造福人类。谚云："良药苦口利于病。"药膳之制作，是否可易此谚为"良药美味利于病"，有待于海内外贤达作出评定。

潘朝曦

目录

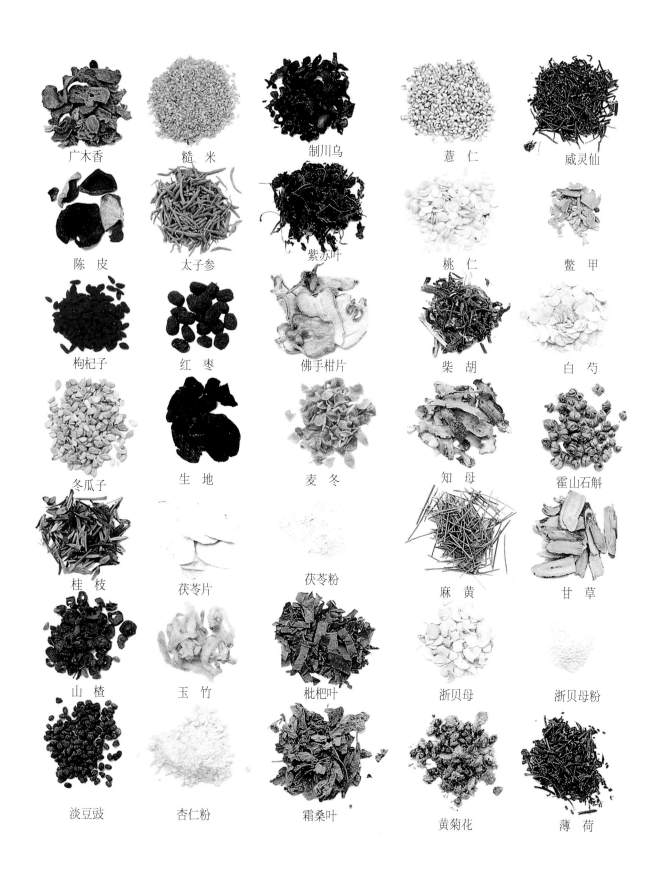

广木香	糙米	制川乌	薏仁	威灵仙
陈皮	太子参	紫苏叶	桃仁	鳖甲
枸杞子	红枣	佛手柑片	柴胡	白芍
冬瓜子	生地	麦冬	知母	霍山石斛
桂枝	茯苓片	茯苓粉	麻黄	甘草
山楂	玉竹	枇杷叶	浙贝母	浙贝母粉
淡豆豉	杏仁粉	霜桑叶	黄菊花	薄荷

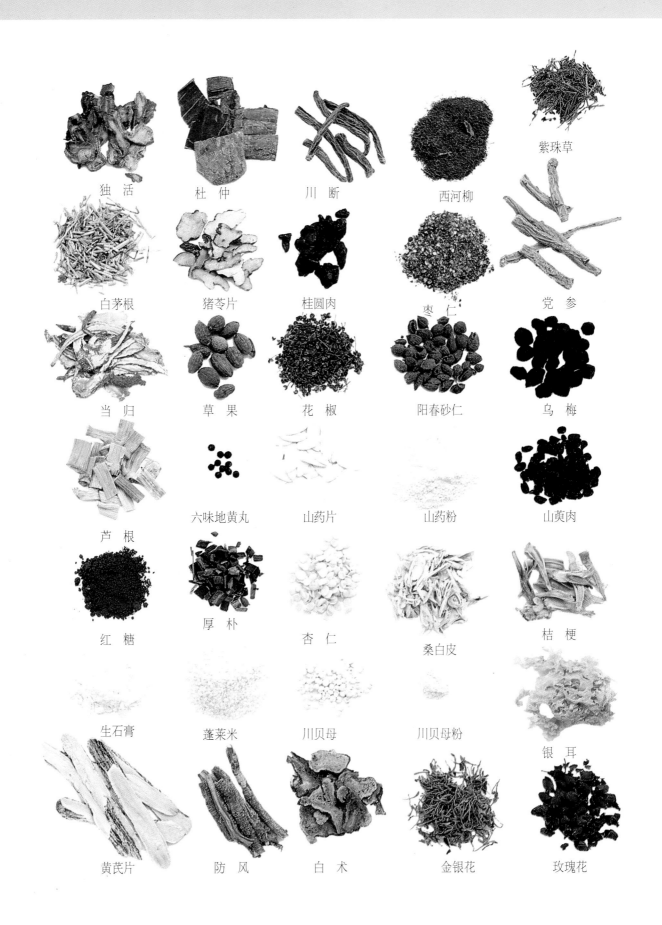

紫珠草

独活　杜仲　川断　西河柳

白茅根　猪苓片　桂圆肉　枣仁　党参

当归　草果　花椒　阳春砂仁　乌梅

芦根　六味地黄丸　山药片　山药粉　山萸肉

红糖　厚朴　杏仁　桑白皮　桔梗

生石膏　蓬莱米　川贝母　川贝母粉　银耳

黄芪片　防风　白术　金银花　玫瑰花

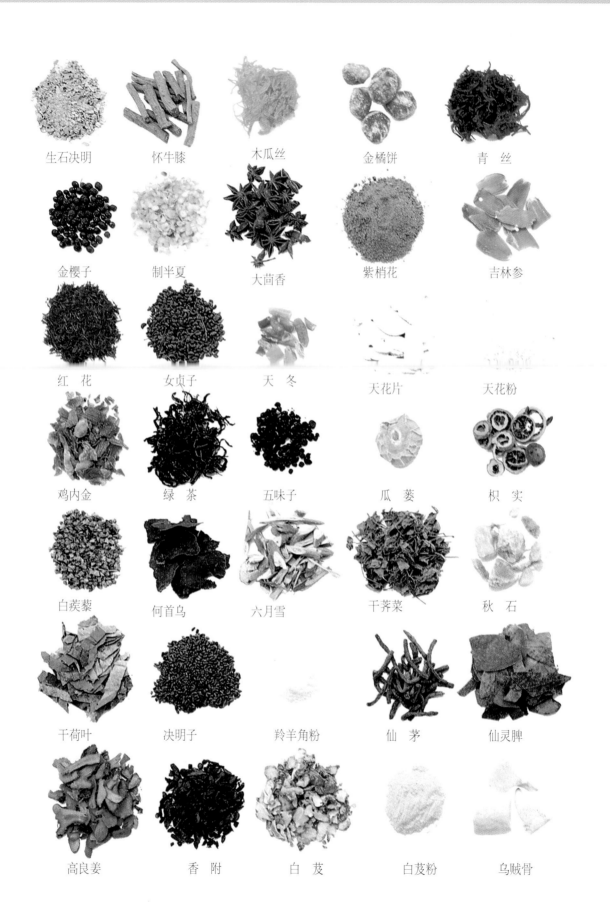

生石决明　　怀牛膝　　木瓜丝　　金橘饼　　青丝

金樱子　　制半夏　　大茴香　　紫梢花　　吉林参

红花　　女贞子　　天冬　　天花片　　天花粉

鸡内金　　绿茶　　五味子　　瓜蒌　　枳实

白蒺藜　　何首乌　　六月雪　　干荠菜　　秋石

干荷叶　　决明子　　羚羊角粉　　仙茅　　仙灵脾

高良姜　　香附　　白芨　　白芨粉　　乌贼骨

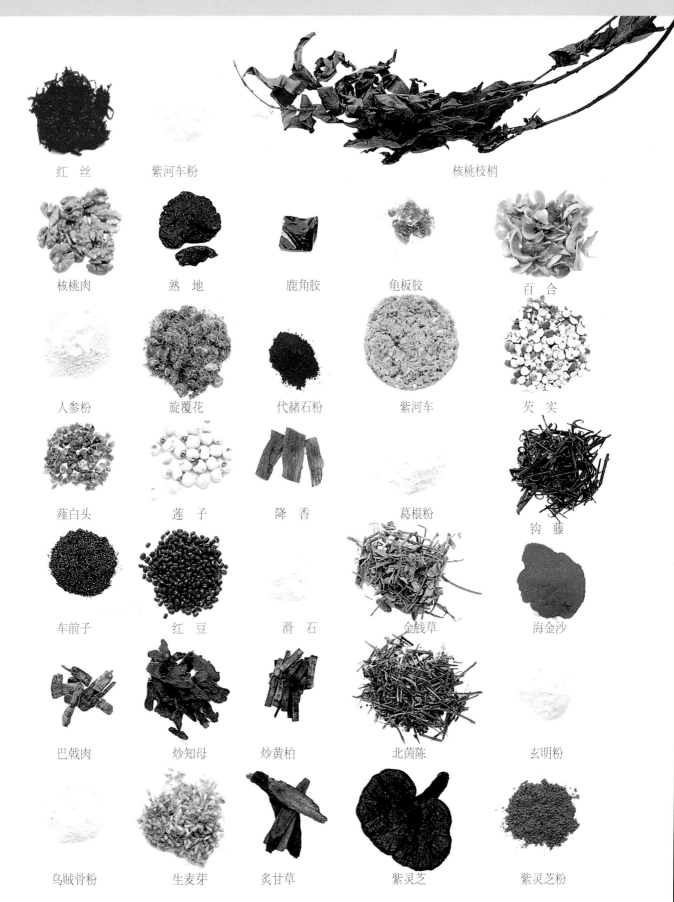

红　丝　　　　紫河车粉　　　　　　　　　　核桃枝梢

核桃肉　　　　熟　地　　　　鹿角胶　　　　龟板胶　　　　百　合

人参粉　　　　旋覆花　　　　代赭石粉　　　紫河车　　　　芡　实

薤白头　　　　莲　子　　　　降　香　　　　葛根粉　　　　钩　藤

车前子　　　　红　豆　　　　滑　石　　　　金钱草　　　　海金沙

巴戟肉　　　　炒知母　　　　炒黄柏　　　　北茵陈　　　　玄明粉

乌贼骨粉　　　生麦芽　　　　炙甘草　　　　紫灵芝　　　　紫灵芝粉

恶性肿瘤药膳

恶性肿瘤即癌症。所生的部位不同，中医名称也不同。鼻咽癌类似中医的"失荣"、"脑漏"；食道癌中医称为"噎膈"；乳腺癌中医称为"乳岩"；胰头癌、肝癌及肠癌、子宫癌、卵巢癌等中医多称为"症"或"积"。癌症的发病原因至今尚未完全清楚，一般认为是由于人体免疫功能低下，不良的外因长期刺激，致使细胞突变所致。中医认为癌症的发生，在于正气亏虚、阴阳失调、痰瘀气结交阻。

现代医学对于癌症的治疗，尚无理想药物，而中医治疗癌症则出现了许多可喜的苗子，在延长寿命的同时，有的还能根除。而药膳则是中医治癌、防癌的一个重要方式。

现将常见癌症的主要症状加以介绍说明

一、鼻咽癌的主症为头痛、鼻咽部及耳下部有肿块。其常见症型有肝郁痰瘀和肺肾阴虚。肝郁痰瘀的症候特点为头痛耳鸣、精神抑郁、鼻中流血，久则耳下结块；肺肾阴虚的症候特点为身体消瘦、咽干口燥、耳下结块。

二、食道癌的主症为吞咽困难、饮食梗阻不下，其常见症型为痰瘀交阻、正虚痰阻。痰瘀交阻的症候特点除主症外，尚见胸闷、进食即吐、痰涎较多；正虚痰阻的症候特点除主症外，尚见面色苍白、口咽干燥、面部浮肿、肌肤枯瘦、饮食不下。

三、肺癌的主症为胸痛胸闷、咳嗽咯血，其常见症型有肺热痰阻和气阴两虚。肺热痰阻的症候特点除主症外，尚见咳嗽有痰、痰湿黏稠、口舌干燥、大便秘结；气阴两虚的症候特点除主症外，尚见消瘦、午后低热、乏力、口干少津、胸背疼痛。

四、胃癌的主症为胃脘隐痛、疼处固定、上腹结块胀痛、饮食减少，其常见症型为肝胃不和及气血两亏。肝胃不和的症候特点除主症外，尚见胸胁胀痛、口苦心烦、呃逆嗳气；气血两亏症候特点除主症外，尚见面色苍白、食欲不振、肢倦乏力、腹部隐痛。

五、肝癌的主症为肝区结症、疼痛拒按，有时伴有黄疸，后期常出现腹水，其常见症型为瘀热蕴结、肝盛脾虚。瘀热蕴结的症候特点除主症外，尚见肝区疼痛难忍、口苦且干，并出现黄疸；肝盛脾虚的症候特点除主症外，尚见食欲不振、腹胀便溏、厌油、也可伴见黄疸。

癌症饮食原则是，食物应富含营养与维生素，食品要新鲜，不宜进食狗肉、鹅肉、猪头肉、羊肉以及熏制和油煎的食物，忌饮酒和食辛辣食物。

仙峰紫云

材　料：

香菇	300 克	鸡油	2 小匙
蘑菇	50 克	花生油	3 大匙
菜心	25 棵	油	适量
冬瓜	500 克	盐	适量
人参粉	10 克	味精	适量
① 黄芪片	20 克	糖	⅔ 小匙
旋覆花	6 克	淀粉	1 小匙
代赭石粉	30 克	纱布袋	1 个
鲜汤	¼ 杯		

做　法：

1. 香菇、蘑菇去梗洗净；菜心洗净；①料入纱布袋扎好备用。
2. 炒锅放水 400 毫升，烧开后加入花生油，再入菜心，煮至碧绿时捞出、沥水。
3. 将代赭石粉入砂锅，加水 400 毫升，煎 30 分钟，再将①料放入，同煎 30 分钟，滤取汁 100 毫升。
4. 冬瓜雕成山峰，置于盘中。
5. 炒锅加油，烧至八分热时，入香菇、蘑菇煸炒后加盐、①料与代赭石的煎汁、鲜汤和糖，烧开后撒入人参粉，并以淀粉勾芡，倒在"山峰"的周围。
6. 将菜心拌上鸡油、盐、味精，摆于盘周即可。

功　效：

1. 益气养阴、和胃降逆、化痰，适用于正虚痰阴型食道癌，也可用于消化系统及其它癌症食疗。
2. 人参、黄芪补元气；代赭石、旋覆花和胃降逆。据近代研究，香菇等菌类对癌细胞有抑制作用。

备　注：

香菇色紫如云朵故名。

玉女甘露

材　料：

百合 ·············· 40 克　　玉竹 ··········· 15 克
川贝母粉 ··········· 6 克　　女贞子 ········· 10 克
糖 ··············· 2 小匙　①天冬 ··········· 15 克
纱布袋 ············· 1 个　　天花粉 ········· 15 克
　　　　　　　　　　　　　　　川贝母 ········· 12 克

做　法：

1. 百合洗净，入砂锅，加水 500 毫升，煎 30 分钟备用。
2. ①料入纱布袋扎好，入另一小砂锅，加水 500 毫升，煎 40 分钟，滤取汁 250 毫升。
3. 将①的滤汁加入煮百合的砂锅中，加糖再煮 10 分钟后，撒入川贝母粉，拌匀即可。

功　效：

1. 滋阴、清化痰热、软坚，适用于鼻咽癌阴虚痰热者。
2. ①料的煎汁及川贝母均有化痰软坚的功效；天冬为治鼻咽癌有效药，兼有清热滋阴之效。

备　注：

本品可随时食用，以饮汤为主，也可食用汤中的百合。

核子攻坚

材　料：

鸡蛋 ·································· 6 个
核桃枝梢 ······························ 120 克

做　法：

1. 选取如笔杆粗的核桃枝梢，切成长 2 厘米的段，洗净入砂锅，加水 1000 毫升，煎 20 分钟备用。
2. 将鸡蛋煮熟，剥去壳，用竹签扎遍小孔，放入煎核桃枝锅内同煮 2 小时即可。

功　效：

1. 理气化痰、软坚散结，适用于痰瘀交阻型食道癌。
2. 核桃枝可化痰软坚，对肿瘤能改善症状，增进食欲。

备　注：

每天早晚空腹各食鸡蛋两个，同时也可饮汤 10 毫升（不可过量）。

干戈玉帛

材　料：

猴头菇（罐头）······ 300 克	姜片 ············· 3 片
竹笋 ············· 100 克	盐 ·············· ⅔ 小匙
冬菇 ············· 150 克	味精 ············· 少许
① 柴胡 ········· 6 克	糖 ·············· ½ 小匙
白芍 ········· 6 克	麻油 ············· 少许
香附 ········· 6 克	纱布袋 ············ 1 个
枳实 ········· 10 克	
制半夏 ······· 6 克	

做　法：

1. 猴头菇洗净，切成长 3 厘米、宽 2 厘米的厚片，放于砂锅中备用。
2. 竹笋洗净，切成厚 0.3 厘米的片，放在猴头菇的周围。
3. 冬菇去梗、洗净，入砂锅，加适量水、盐、糖、姜片，烧开。
4. ①料入纱布袋扎好，入另一小砂锅，加水 300 毫升，煎 30 分钟，滤取煎汁 100 毫升。
5. 将烧开的冬菇及汤同①料的煎汁，倒入盛猴头菇的砂锅中，小火燉 1 小时，再加入味精，淋上麻油即可。

功　效：

1. 调肝和胃、扶正抗癌，适用于胃癌肝胃不和型。
2. 猴头菇是高级食用菌，能助消化、利五脏，并含多糖类抗癌物质，对治胃癌有一定的效果；①料的煎汁具有调和肝、胃的作用。

复元扶羸

材　料：

油发鱼肚	120 克	鲜汤	350 毫升
熟鹌鹑蛋（去壳）	12 个	味精	少许
火腿片	12 克	白醋	适量
黄芪片	12 克	黄酒	适量
紫河车粉	5 克	猪油	适量
菜心	10 棵	碱水	少许

① ┌ 黄酒 ········· 1½ 小匙
　├ 葱段 ········· 3 段
　├ 姜片 ········· 2 片
　└ 盐 ········· ⅔ 小匙

做　法：

1. 鱼肚用水泡软，用碱水擦洗，去油腻，冲净后，换水，加白醋，用手搓后漂洗几次，去尽异味，切成斜段。
2. 取一锅注油，将鱼肚段沥干水分，入锅，加入①料、鲜汤150毫升、清水适量，和菜心一起煨煮，倒入漏勺，拣去葱、姜，用干净毛巾将鱼肚吸干。
3. 锅中放入猪油、黄酒，加鲜汤 200 毫升、黄芪片，汤将沸时，放入鱼肚、味精，再加入火腿片、菜心，烧开装入深盘中。
4. 鹌鹑蛋放入汤中，撒上紫河车粉即可。

功　效：

1. 补气养血，适用于胃癌的气血两亏型。
2. 鹌鹑蛋、黄芪可补元气；鱼肚即鱼鳔，能补精血、散瘀消肿；紫河车补益精血。

备　注：

鹌鹑蛋可用罐装品取代。

心脑血管病药膳

心脑血管病，即心血管病和脑血管病的总称。心血管病常见的有冠心病、高血压、高血脂；脑血管病常见的有脑溢血、脑血栓形成、老年性痴呆等。上述疾病中，除高血压已列专篇介绍外，其余疾病的发生，大体都与动脉血管粥样硬化有关。动脉硬化全身皆可发生，而以心、脑、肾血管硬化较易发生，且对人健康威胁最大。血管粥样硬化的始因在于高血脂、血管壁损伤，致使脂质在血管壁沉积，久之则血管腔狭窄、血管弹性降低，从而造成血管支配的脏器缺血。血管硬化又使血管的脆性增加，易于破裂出血。

冠心病即冠状动脉粥样硬化性心脏病，又称缺血性心脏病，其发病即是由于冠状动脉血管硬化、管腔狭窄，造成心肌缺血、缺氧所致。而脑血管病中的脑溢血，则是由于心血管硬化后脆性增加，脑血管破裂所致。而脑血栓形成及老年性痴呆，则多由于脑血管硬化、脑血管管腔狭窄或形成血栓，致脑部缺血所致。

现代医学对心脑血管病的治疗尚缺少理想的方法。心血管病中的冠心病属中医"胸痹"、"心痛"、"心悸"等病症范畴，病因在于正气亏虚、痰瘀痹阻。而高血脂，据其临床表现则为阴阳失调、痰湿内蕴。脑溢血、脑血栓形成属中医"中风"，病因在于肝阳上亢或风火痰上扰。仅见肢体麻木或偏枯属于中经络；语言不利、神昏则属中脏腑。老年性痴呆，则与痰蒙清窍、髓海不足有关。按其表现不同，约属中医"喑痱"、"癫症"范畴。

心血管病的常见症型有气阴两虚、心肾阳虚、痰瘀痹阻三种。气阴两虚的症候特点为心悸多短、胸闷、心痛、口干、失眠；心肾阳虚的症候特点为自汗、畏寒、腰酸、唇青、心痛较剧；痰瘀痹阻的症候特点为体丰、胸脘痞闷、恶心、纳差、心痛、唇暗。

脑血管病的常见症型有肝阳上亢、痰浊上扰、髓海不足。肝阳上亢的症候特点为头晕、头痛、耳鸣；目眩、口干、咽燥、偏侧肢体麻木不遂；痰浊上扰的症状特点为神志昏蒙或痴呆、喉中痰鸣、或见半身不遂、肌肤麻木；髓海不足的症状特点为易忘、头晕目眩、耳鸣、颈酸、视物不明，或见神志痴呆，或见半身不遂。(心血管病中的心肌梗死及脑血管病中的中脏腑重症，其病情危笃，非食药膳所宜，从略。)

青天白鹭

材　料：

鸽脯肉	·········· 300 克		葱末	·········· ½ 大匙
去皮熟竹笋	······· 200 克		黄酒	·········· 少许
豌豆苗	·········· 200 克		盐	·········· 适量
① {	太子参 ········ 30 克		糖	·········· ½ 小匙
	麦冬 ········· 12 克		味精	·········· 少许
	五味子 ········ 3 克		淀粉	·········· 2 小匙
	鸡蛋清 ········ 1 个		油	·········· 适量

做　法：

1. 鸽脯肉切成柳叶片，加入黄酒、盐、味精、鸡蛋清和淀粉拌匀浆好；竹笋切成长 3 厘米的薄片。
2. 豌豆苗洗净。
3. ①料入砂锅，加水 200 毫升，煮 30 分钟后，滤汁 60 毫升，待凉后，加入盐、味精、淀粉搅匀备用。
4. 炒锅注油，入豆苗、盐、味精煸炒，炒熟后装盘摊平。
5. 另取一炒锅，用中火烧热，放入油，待油温达到四分热时，将鸽肉片下锅，搅散，捞出沥油。
6. 炒锅留少许油，烧热放入葱末煸香，再入黄酒、冬笋片、鸽肉片，翻炒几下，将①料煎汁的混合液倒入锅中略翻，出锅装在豆苗上即可。

功　效：

1. 益气养阴，适用于心血管病的气阴两虚证。
2. 鸽肉可益气养阴；①料的组成为益气养阴名方"生脉饮"。

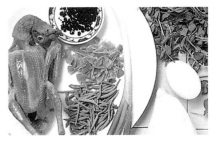

小乔初嫁

材　料：

鲜墨鱼	600克	盐	3/5小匙
青豌豆	15克	味精	少许
山楂酱	1大匙	葱姜丝	1大匙
番茄酱	1大匙	鲜汤	1½大匙
酱油	1大匙	花生油	适量

做　法：

1. 墨鱼剥去黑皮，去内脏、洗净，剖成长3.5厘米、宽2.5厘米的薄片；青豌豆洗净。
2. 炒锅注油，烧热入葱姜丝爆香，加入墨鱼片爆炒30秒钟后出锅备用。
3. 另取一炒锅，放入1大匙油及山楂酱、番茄酱、酱油、鲜汤、盐和味精，烧稠后入墨鱼片及青豌豆略炒即可。

功　效：

1. 清热降脂，适用于心脑血管病兼血脂增高证。
2. 墨鱼可清热；山楂可活血、降血脂、开胃。

备　注：

山楂酱的做法：山楂30克、水100毫升、糖20克混合，以小火同煮30分钟即可。

阴霾顿开

材 料：

米酒	·····	1½ 大匙
① 瓜蒌	·····	10 克
枳实	·····	10 克
薤白头	·····	8 克
红花	·····	6 克
桂枝	·····	6 克
糖	·····	1 大匙

做 法：

1. 将①料入砂锅，加水300毫升，煎30分钟，滤取煎汁150毫升。
2. 趁热将米酒及糖加入煎汁中，搅匀即可。

功 效：

1. 通阳宽胸、化痰活血，适用于冠心病的痰瘀痹阻证。
2. 其中①料的组成为医圣张仲景治胸痹名方"瓜蒌薤白白酒汤"加减而成。

山家清供

材 料：

葛根粉	·····	60 克	羚羊角粉	·····	0.3 克
① 生石决明	·····	50 克	葡萄干	·····	6 克
钩藤	·····	15 克	糖	·····	2 小匙
白蒺藜	·····	12 克			

做 法：

1. ①料入砂锅，加水300毫升，煎30分钟，滤取煎汁150毫升，待冷。
2. 葛根粉放碗中，加入①料的煎汁，搅成稠糊状。
3. 葡萄干用温水泡开。
4. 烧锅加水烧开，将沸水冲入碗中，边冲边搅成稀糊状，然后将碗放入沸水锅中，隔水蒸10分钟，撒入羚羊角粉、葡萄干、糖拌匀即可。

功 效：

1. 平肝潜阳，适用于脑血管病中的肝阳上亢证。
2. 葛根粉能生津止渴、降血压；羚羊角粉、生石决明、钩藤、白蒺藜，都为平肝潜阳常用药。

一瓣心香

材　料：

猪心	300 克	姜末	1 小匙
莲子	15 克	黄酒	适量
玉竹	12 克	盐	适量
① 降香	8 克	味精	少许
枣仁	12 克	花椒	少许
葱段	4 段	纱布袋	1 个

做　法：

1. 猪心剖开，洗净，再用沸水烫过，洗后入锅中，加入姜段，葱末、花椒和盐煮熟。
2. 莲子用水发开，去心，放入砂罐中，加水适量，上笼蒸熟。
3. ①料入纱布袋扎好备用。
4. 煮熟的猪心取出，放入另锅中，加入①料和适量水，煮30分钟后，将猪心取出，切成薄片，规则地摆于盘内，汤汁留用。
5. 莲子取出，放于盘心。
6. 猪心的汤汁加上味精调匀，浇于菜上即可。

功　效：

1. 养心宁心、理气止痛，用于心血管病气阴两虚证，见心悸、口干明显或兼见心痛者。
2. 猪心、莲子养心清心；降香理气、止痛；枣仁养血安神。

高血压病药膳

　　高血压是指人体血压超过了正常标准。成年人的正常血压不应超过140/90毫米汞柱(18.7/12千帕)。凡舒张压超过90毫米汞柱(12千帕)的，不管收缩压如何，都为高血压。而收缩压的高低，又与年龄有一定的关系，一般40岁以下的，收缩压不应超过140毫米汞柱；50岁以下的，不应超过150毫米汞柱(20千帕)；60岁以下的，则不应超过170毫米汞柱(22.7千帕)。否则，都是高血压。

　　高血压有原发性和继发性之分。继发性高血压的血压增高，是某些疾病的一种症状。原发性高血压是以血压增高为主症的独立疾病，故又称为高血压病。

　　高血压病的临床症状多不典型，其常见症状为头痛、头晕、失眠、心悸等。中医无高血压病名，据其临床表现，约属中医“头痛”、“眩晕”、“肝风”等病范畴。临床常见症型有肝火上炎、肝阳偏亢、肝肾阴虚、阴阳两虚。

　　肝火上炎的症状特点为头胀头痛、面红目赤、口苦、尿黄、烦躁易怒。肝阳偏亢的症状特点为眩晕、耳鸣、头痛且胀、面烘热。肝肾阴虚的症状特点为头晕、目眩、五心烦热、耳鸣、口干、健忘失眠、腰膝酸软。阴阳两虚的症状特点为头昏、头晕、口干咽噪、食欲不振、耳鸣、腰酸、畏寒怕冷、夜间多尿。

　　由于钠盐能使血管对各种升高血压物质的敏感性增加，从而升高血压。胆固醇类物质能促进动脉硬化，因而高血压病人的饮食原则应低盐、低胆固醇，此外还应富含维生素和纤维素，另戒烟酒、忌食浓茶、咖啡和辛辣食物也是必须注意的。

烟笼寒水

材　料：

冬瓜 ·············· 500 克	① { 盐 ··············· 适量
冬菇 ··············· 50 克	味精 ············· 适量
竹笋 ··············· 50 克	香油 ············· 少许
豆腐 ·············· 100 克	② { 鲜汤 ············· 4 大匙
决明子 ············· 30 克	味精 ············· 适量
淀粉 ··············· 1 大匙	盐 ··············· 适量
麻油 ··············· 少许	

做　法：

1. 冬瓜削皮、去瓤后洗净，切大块；取一锅，加水适量，烧开后，将冬瓜块下锅，煮至半熟时捞出，再入冷水浸凉，取出备用。
2. 冬菇用温水发好，去蒂杂洗净，剁成细末；竹笋洗净，剁成细末；豆腐压碎成泥。将冬菇末、竹笋末、豆腐泥同放一碗中，加①料，搅拌成馅。
3. 将冬瓜切成长 3.5 厘米、厚 0.5 厘米的片，在每两片中间夹上调好的馅，整齐地放在大碗中，并将②料加入，上笼蒸 10 分钟取出，滤出汤汁留用，将冬瓜反扣在盘中。
4. 决明子放入小砂锅，加水 200 毫升，煮 30 分钟，滤汁 60 毫升。
5. 决明子汁与蒸冬瓜汤汁放入炒锅内，烧开后用淀粉勾芡，淋上麻油，浇在冬瓜上即可。

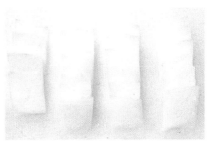

功　效：

1. 清热平肝、降血压，适用于高血压肝火上炎、小便短赤者。
2. 决明子性寒，能清热平肝；冬瓜能清热利水。

高血压病药膳

27

炊石成膳

材　料：

生石决明 · 40克
去皮荸荠 · 80克
糙米 · 100克

做　法：

1. 生石决明敲碎入砂锅内，加水300毫升，煎1小时，滤取汁于搪瓷烧锅内。
2. 荸荠洗净，切成0.7厘米见方的丁；糙米用水淘净。
3. 将荸荠丁和糙米同入搪瓷烧锅中，加水1000毫升，与石决明的煎汁同煮成粥即可。

功　效：

1. 平肝潜阳滋阴，用于高血压肝阳偏亢兼见口干者。
2. 生石决明为平肝潜阳要药；荸荠可滋阴生津。

碧丝金钩

材　料：

芹菜 · 300克
虾米 · 20克

①
　盐 · $\frac{4}{5}$小匙
　糖 · $\frac{1}{2}$小匙
　米醋 · $\frac{1}{4}$小匙
　鲜汤 · 2大匙
　味精 · 少许
　麻油 · 少许

做　法：

1. 芹菜离根切去3厘米不用，余下的部分洗净，放入沸水锅中氽透，捞出挤干水分，切成长3厘米的段，放在盘中。
2. 虾米洗净，用热水浸开后捞出，再用刀拍松，放在芹菜上。
3. 将①料放小碗中调匀，浇在芹菜上即可。

功　效：

1. 清热、平肝、降血压，适用于高血压肝火上炎证。
2. 芹菜性凉，能清热平肝，且为世界公认的保健菜。

和合二仙

材　料：

水发海参	·················	300 克
当归	·················	8 克

①{
仙茅	·················	18 克
仙灵脾	·················	12 克
巴戟肉	·················	10 克
炒知母	·················	5 克
炒黄柏	·················	5 克
}

糖	·················	4 小匙

做　法：

1. 将水发海参洗净，去肠杂，切大块后，再片切成厚 0.4 厘米的片，入锅，加水 200 毫升及糖煨煮至烂。
2. 将①料入砂锅，加水 500 毫升，煎煮 30 分钟，滤汁，加入海参中再煨煮 20 分钟即可。

功　效：

调整平补阴阳、降血压，适用于高血压阴阳两虚证，也适用于更年期综合征出现的高血压。

备　注：

1. 每次热食 1/2 小碗，每日 2 次。
2. 仙灵脾即是淫羊霍。

定风灵角

材　料：

芦笋 · 300 克

黄瓜 · 150 克

羚羊角粉 · 0.3 克

① { 盐 · $\frac{2}{3}$ 小匙

白醋 · 少许

糖 · $\frac{1}{2}$ 小匙

味精 · 少许

麻油 · 少许

盐 · 适量

做　法：

1. 芦笋洗净，用沸水烫一下，沥干水分，切成长4厘米的段，放于盘中；烫后的汤汁留用。

2. 黄瓜削去皮，挖去籽瓤，洗净，切成长4厘米的段，再切成宽0.5厘米的条，入盐腌一下，挤去水分，放入盘中。

3. 取芦笋汤汁150毫升加入①料调匀，浇在菜上。

4. 将羚羊角粉撒在菜上即可。

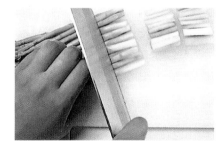

功　效：

1. 滋阴潜阳、平肝熄风，用于高血压肝阳偏亢、亢阳化风，症见头昏胀肢麻、手抖、面部烘热。

2. 羚羊角为平肝潜阳熄风的要药；芦笋、黄瓜性均偏凉，能滋阴生津，芦笋又为当前较为风行的降血压食品。

备　注：

1. 羚羊角粉降血压效果佳，市有成品出售。

2. 血压较高患者，羚羊角粉可增至0.6克。

支气管哮喘药膳

　　支气管哮喘是由于人体对某些物质过敏而引起的变态反应性疾患。其主症为反复发作性呼吸困难、哮鸣和咳嗽。典型病例发作前还有鼻痒、喷嚏和胸闷。引起过敏的物质有花粉、尘埃、动物蛋白等，喘息症状的产生主要是由于支气管平滑肌痉挛所致。

　　中医认为本病的发生系由于内有伏痰，外有新邪引动致肺气失于宣降所致。哮喘发作期主要为实证，实证分为冷哮、热哮两大类。冷哮的症状特点为喘促痰稀、鼻流清涕、面苍白或青灰，背冷、口不渴。热哮的症状特点为喘促急迫、痰黄稠黏、烦热面赤或口渴引饮。

　　哮喘缓解期可有轻度咳嗽，咯痰和呼吸紧迫或全无症状。此时的治疗则在于化痰和补虚。新病虚证多不显，仅有咳嗽咯痰。病程日久则多见虚证，常见有脾肺气虚和脾肾两虚两种。脾肺气虚的症状特点为咳嗽短气、痰液清稀、面色苍白、自汗畏风。肺肾两虚的症状特点为咳嗽短气、自汗畏风、动则气促、腰膝酸软、脑转耳鸣。哮喘发时治标，平时治本，食疗亦依此原则。哮喘食物以素淡为宜，因肥甘易生痰，鱼腥易动风(引起过敏)，故哮喘一般忌肥甘厚味和鱼腥。

玉兰水晶

材　料：

鲍鱼菇 ············ 250 克	② { 盐 ············ ⅔ 小匙
笋干 ············ 150 克	味精 ············ 少许
洋菜 ············ 15 克	香菜 ············ 5 克
① { 生石膏 ········ 50 克	
桑白皮 ········ 10 克	
杏仁 ············ 10 克	

做　法：

1. 鲍鱼菇去蒂杂、洗净，笋干泡水1小时，两者都切成长4厘米、宽3厘米的片状，入沸水中烫一下，迅速捞出，放在冷开水中泡凉后，取出沥干水分备用。
2. 笋干片与鲍鱼菇片间隔地排在深盘内。
3. ①料放入砂锅内，加水350毫升，煎20分钟后，滤取汁200毫升。
4. 将洋菜泡软、洗净，投入锅内加水500毫升加热化开，然后加入①料的滤汁煮5分钟，再加入②料，拌匀后倒入盛有鲍鱼菇片和笋干片的深盘内，待冷却后放入冰箱凝冻，食用时切块装盘，用香菜点缀即可。

功　效：

1. 清热宣肺、下气平喘，治疗热哮。
2. 菜肴中，笋干性凉；石膏、桑皮白、杏仁均为清热平喘要药。

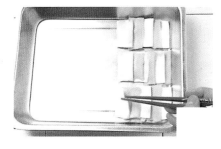

雪霁冰消

材　料：

羊肉片	200克	甜葱	30克
生鸡脯肉	200克	菠菜	60克
姜汁	1大匙	香辣酱	1大匙
① 麻黄	6克	鲜汤	2杯
甜杏仁粉	10克	纱布袋	1个
甘草	3克		

做　法：

1. 鸡脯肉洗净,切成薄片;菠菜洗净,切成3.5厘米长的段备用。
2. ①料入纱布袋扎好;将甜葱去皮洗净,切成丝与香辣酱拌匀备用。
3. 取一砂锅,加入鲜汤和600毫升的清水,放入①料在火上烧开。
4. 将羊肉片、鸡脯肉片、姜汁入砂锅,待沸腾后再煮2分钟,撒下菠菜段,食时蘸酱味更佳。

功　效：

1. 发汗宣肺治疗冷哮。
2. 菜肴中,羊肉性热可散寒;姜汁和①料的煎汁可发汗宣肺平喘,为冷哮而无汗者有效之食疗。

备　注：

食后宜避风取汗。

绿波仙子

材　料：

去皮鲜荸荠	300 克	
芦根	100 克	
剑竹笋	50 克	
青菜叶	20 克	
杏仁	15 克	

①
生石膏	40 克
橘梗	30 克
冬瓜子	30 克
桑白皮	6 克

糖 ……… 1⅓ 大匙
纱布 ……… 1 块

做　法：

1. 荸荠洗净，切成薄片，用开水烫过备用。
2. 芦根洗净，加水 500 毫升，浸泡 30 分钟后，入锅煎煮 10 分钟，滤汁 100 毫升备用。

3. 青菜叶洗净，捣碎后包入纱布内，绞汁备用。
4. 杏仁入小砂锅加水煮熟。
5. 另取一砂锅，将①料放入，加水 300 毫升煮 30 分钟，滤取煎汁 200 毫升备用。
6. 将芦根汁、杏仁汁及①料的煎汁加糖，和青菜汁调成碧绿色汁液备用。
7. 取汤盘，将剑竹笋分三份，规律地铺于盘底，荸荠斤直具上，再将杏仁撒上，浇入碧绿色的汁液即可。

功　效：

清热生津、化痰平喘、用于热哮。

丹露红颜

材　料：

	鲜橘汁	2 大匙
	桂枝	6 克
	麻黄	8 克
①	姜	4 克
	甘草	4 克
	杏仁	10 克
	红糖	1 大匙

做　法：

1. ①料放入砂锅中，加水 400 毫升盖紧，煮 5 分钟，滤取煎汁 250 毫升备用。
2. 将橘汁和红糖加入①料的煎汁中调匀，温服即可。

功　效：

1. 发汗散寒、宣肺平喘、治疗冷哮。
2. 橘汁性温可化痰；红糖能祛寒和脾。①料的煎汁为中医平喘名方"麻黄汤"，其中桂枝、姜皆为传统之调味品，本饮料甘香、微辣，饮之适口，效果显著。

备　注：

1. 饮后宜避风取汗。
2. 红糖即是黑糖。

雪中送炭

材　料：

牛肺	400 克	盐	⅔ 小匙
熟火腿肉	100 克	味精	少许
山药片	50 克	鲜汤	1½ 杯
甜葱丝	1⅓ 大匙	葱姜丝	1 大匙
姜	10 克	油	适量
① ⎰ 桂枝	8 克	纱布袋	1 个
⎱ 厚朴	5 克		
甜杏仁粉	6 克		

做　法：

1. 山药片加水 500 毫升煮熟备用。
2. 牛肺洗净血水，擦上黄酒，用开水烫后捞起，切成宽 2.5 厘米、长 3 厘米的薄片。
3. 火腿切成薄片。
4. 炒锅加油，入葱姜丝爆香后，入牛肺片煸炒 2 分钟，加水煮烂。
5. 将①料入纱布袋包扎好备用。
6. 取一锅，加入鲜汤和炒锅中的汤料，及①料、盐、味精，再用木炭炉煮，煮开 5 分钟后拿去纱布袋，加入山药片、火腿片和甜葱丝即可。

功　效：

发表散寒、下气平喘，主治冷哮、痰涎上涌者。

备　注：

本菜适于冬日食用。

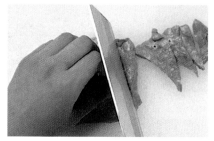

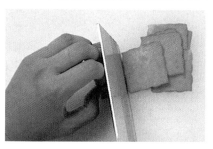

慢性支气管炎药膳

　　慢性支气管炎是中、老年的常见病，病因是多方面的。内因是由于人体抵抗力降低，外因是由于呼吸道受大气污染、香烟或气候寒冷等理化因素刺激或受细菌病毒反复感染所致。其主要临床表现为长期反复咳嗽、咳痰。属中医内伤咳嗽范畴，其发病中医认为与痰、热、寒、虚四方面有关。

　　咳嗽若由痰湿引起的称为痰湿咳嗽。症状特点为痰多、痰色白而黏、胸脘作闷。

　　咳嗽由痰热相兼引起的称为痰热咳嗽。症状特点为痰黄而稠、口干、口苦、咽痛。

　　咳嗽由情志不遂、肝气郁结化火、上乘于肺引起的称为肝火犯肺咳嗽。症状特点为性急易怒、痰中夹血、胸胁串痛、面红目赤。

　　咳嗽由于阴津素亏，肺失滋润引起的称为阴虚咳嗽。症状特点为干咳无痰或痰少不爽、口干舌燥或见咯血。

　　咳嗽由于肺气不足，脾精不能上荣于肺引起的称为气虚咳嗽。症状特点为神情萎顿、畏风、自汗、咳声无力、气短、痰多清稀。

　　咳嗽由于脾肾阳虚，水气上泛引起的称为阳虚咳嗽。症状特点为肢冷、畏寒、头眩、心悸、口唇发青、痰涎清稀。

　　慢性支气管炎的药膳原则是对症选择食疗品种。食品应既富营养又无引痰生火之弊，一般忌食海腥、油腻及辛辣之品。咸淡、冷热要适宜。

煮雪烹云

材　料：

银耳 ·············· 50克　川贝母粉 ········· 15克
百合 ·············· 50克　糖 ················· 20克
去皮鲜荸荠 ······· 100克

做　法：

1. 选上白野生银耳，用温水发开，去蒂杂洗净备用。
2. 荸荠洗净，切成1厘米见方的块。
3. 百合去泥杂洗净；冰糖研细备用。
4. 取一砂锅，放入银耳、适量水，用小火煮30分钟后，入百合、荸荠同煮，边煮边搅以防黏锅。煮至银耳发黏时起锅，加入川贝母粉、糖搅匀即可。

功　效：

1. 治疗阴虚干咳。
2. 百合为补肺常用食品，荸荠、川贝母可滋阴化痰。

备　注：

本食品可作点心常期食用。糖不宜过多，以免影响食欲。体虚明显可加燕窝6克，隔水炖服。

红炉点雪

材 料：

去皮鲜荸荠 ……… 500 克		浙贝母粉 ………… 10 克
鲜嫩藕 ……… 80 克		糖 ………… 2 小匙
生石膏 ……… 50 克		

做 法：

1. 鲜荸荠洗净后拍碎；糖研细备用。
2. 鲜藕刨去皮，洗净，切细丝，用冷开水冲洗去粉后拍碎。
3. 生石膏入砂锅加水 200 毫升煎成 80 毫升备用。
4. 将鲜藕铺于盘上，鲜荸荠堆放在藕上，浇上石膏煎汁，撒上浙贝母粉，顶上放糖，食用时上下拌匀即可。

功 效：

1. 治疗痰热咳嗽，尤适用咳吐黄痰且夹血者。
2. 菜肴中鲜荸荠、生石膏、浙贝母皆清热化痰，鲜藕清热化痰且能止血。

备 注：

非痰热咳嗽者不宜食用此食疗。

天萝甘霖

材 料：

天萝汁 ……… 300 毫升		浙贝母粉 ………… 15 克
竹沥 ……… 200 毫升		糖 ………… 1 大匙
鲜竹叶 ……… 50 克		纱布袋 ………… 1 个
枇杷叶 ……… 15 克		

做 法：

1. 枇杷叶入纱布袋扎好，与竹叶、浙贝母粉一起放入砂锅中，加水 300 毫升，煎数分钟后，取煎汁 200 毫升备用。
2. 天萝汁与煎汁、竹沥及糖相混和即可。

功 效：

1. 治疗痰热咳嗽。
2. 天萝汁甘凉，为中国民间治疗慢性支气管炎的有效验方。配以竹沥及枇杷叶、浙贝母粉等清热化痰药，则效果更显著。

备 注：

1. 每次饮 50 毫升，每日 2 次。
2. 天萝汁的制法：将园植较粗的丝瓜藤，离根 27 厘米处用消毒酒精擦净后，划断，取 500 毫升的小口干净之玻璃瓶一个备用。再将截断的丝瓜藤插入瓶口，使用医用的胶布封住固定，一天一夜后，将瓶中丝瓜根部所分泌的汁液取下，即为天萝汁。
3. 竹沥的制法：取鲜竹竿，截成 30 至 50 厘米长，将管节打通后架起，中间部分用火烤，将竹竿流出的汁液用碗收集即可。
4. 非痰热型咳嗽者，不宜用此食疗。

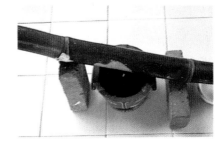

玉堂春暖

材　料：

羊肉片 ……… 500 克	葱丝 ……………… ½ 大匙
姜 ………… 15 克	黄酒 ……………… ½ 大匙
① { 桂枝 ……… 10 克	纱布袋 …………… 1 个
茯苓 ……… 20 克	纱布 ……………… 1 块
白术 ……… 10 克	
甘草 ……… 2 克	

做　法：

1. 将姜洗净，放入臼中捣成糊，再加入少许水同捣后，包入纱布中绞成汁。

2. 将①料入纱布袋扎好备用。

3. 取一砂锅，入羊肉片、适量水及黄酒，煮至七成熟时，加入姜汁和①料同煮至熟，起锅，撒入葱丝，趁热食用即可。

功　效：

1. 温肺散寒，治疗阳虚咳嗽。

2. 羊肉性热能补阳：①料的组成为中医治寒饮名方"苓桂术甘汤"，药食同用，相得益彰。

备　注：

"玉堂"为中医"胸中"之代名词。

玉壶冰心

材　料：

横山梨 ············ 8 个	川贝母粉 ·········· 20 克
蓬莱米 ········· 100 克	蜂蜜 ············· 2 大匙
甜杏仁粉 ········ 20 克	糖桂花 ············· 少许
瓜籽仁 ············ 5 克	木瓜丝 ············· 5 克
葡萄干 ············ 5 克	糖 ··············· 100 克

做　法：

1. 横山梨洗净、去皮，上边 3 厘米处连蒂切下一块作盖，盖边刻上玉壶盖花纹。将梨挖出籽核，浸于清水中。
2. 把蓬莱米淘净，和甜杏仁粉一起放入锅内拌匀，加水适量，上笼蒸熟成糊。
3. 将瓜籽仁、葡萄干用水泡洗干净，切成小块后，同研细的糖、蜂蜜、糖桂花、木瓜丝、川贝母粉一起拌入蓬莱米糊中搅匀，再分别放入梨中，盖上"壶盖"，摆在盘内，上笼蒸约 10 分钟，取下放入餐盘中即可。

功　效：

1. 治疗阴虚咳嗽。
2. 横山梨清热生津；川贝母养阴化痰、止咳，配以蜂蜜、冰糖等同用还可润燥滋液，对肠燥便秘患者也有治疗作用。

备　注：

1. 横山梨可用鸭梨取代。
2. 糖桂花即是桂花酱。
3. 木瓜丝可用青红丝取代。

传染性肝炎药膳

传染性肝炎，是由肝炎病毒引起的一种消化道传染病，又称病毒性肝炎。根据感染肝炎病毒的种类不同，分为甲型、乙型和非甲非乙型等数种。根据有无黄疸，又可分为黄疸型和无黄疸型两种。一般黄疸型肝炎以甲型多见，无黄疸型以乙型多见，也有少数为混合型的。

传染性肝炎按临床表现不同，分为急性肝炎、慢性肝炎和重症肝炎三种。急性肝炎一般发病急，症状较重，或伴发烧。肝炎超过半年而未愈者，则称为慢性肝炎。重症肝炎一般在起病10个月内，即出现精神神经症状，如肝脏迅速缩小、黄疸迅速加深，或见腹水、急性肾功能衰竭和肝性脑病等，需入院急救。

病毒性肝炎属于中医"时疫"、"黄疸"、"胁痛"等病范畴。早期病因多为湿热蕴结，后期多为正虚邪恋。按其症状表现，分为肝胆湿热、肝郁脾虚、肝脾血瘀、肝肾两虚等型。肝胆湿热的症候特点为黄疸或无黄疸，而见发热烦燥、口苦口干、胸脘痞胀、大便秘结、头身重困；肝郁脾虚的症候特点为胁肋隐痛、嗳气乏力、下肢酸楚；肝脾血瘀的症候特点为面色灰黯、胁下重痛、腹中结症、皮肤见赤纹丝缕；肝肾两虚的症候特点为胁肋隐痛、形体消瘦、少气乏力、下肢酸软、食少便溏和畏寒肢冷。

传染性肝炎的饮食原则是食物中蛋白质稍高，脂肪稍低。胃纳不佳者，糖量不宜食入太多。维生素宜丰富，食物宜新鲜清淡，忌食肥腻、辛辣和霉变食物，严禁饮酒。

千里锦带

材　料：

山药片	150克	葱姜末	½大匙
莼菜（罐头）	200克	盐	1小匙
鲜干贝	30克	味精	少许
去皮竹笋	30克	淀粉	½大匙
鸡蛋清	2个	油	少许
鱼汤	½杯	麻油	少许

做　法：

1. 山药片加水2000毫升，煮熟至透明片后，切成1厘米的丁备用。

2. 竹笋用热水烫一下，切成1厘米见方的丁；鲜干贝切成碎末备用。

3. 炒锅注油，烧热，加入葱姜末爆香，入山药片、竹笋丁翻炒2分钟，加入鲜干贝末、鱼汤和水600毫升，煮20分钟，趁沸将鸡蛋清搅匀，淋入锅中，加盐、味精，并以淀粉勾芡成羹。

4. 将羹装汤碗，倒入莼菜调匀，淋上麻油即可。

功　效：

1. 健脾、清热利湿，适用于传染性肝炎见脾虚兼见肝胆郁热者。
2. 山药、鱼汤可见脾利湿；莼菜可解毒治黄疸。

备　注：

莼菜又称"锦带"，本菜典出陆机"千里莼羹"，典意赞美乡土特佳之美味。

清凉世界

材　料：

西瓜 ·· 1个 (约3000克)
北茵陈 ··· 40克
糖 ··· 2小匙

做　法：

1. 西瓜剖开，挖出中心部分，用果汁机榨汁后过滤，取500毫升备用。
2. 北茵陈放入砂锅，加水200毫升，煎30分钟，滤汁，待凉。
3. 将西瓜汁与北茵陈煎汁相混，加入糖搅匀即可。

功　效：

1. 本药膳清热、利湿、退黄。
2. 西瓜清热，利小便；北茵陈清热利胆、去湿退黄，为治疗传染性肝炎的主药。

备　注：

每次饮1杯。

釜底抽薪

材　料：

糙米 ··· 100克
北茵陈 ··· 40克
玄明粉 ·· 8克
糖 ·· 5克

做　法：

1. 将北茵陈放入砂锅中，加水300毫升，煎煮30分钟，滤汁备用。
2. 玄明粉研细末。·
3. 糙米淘净，放入另一锅中，加水1000毫升，将米煮烂，再加入北茵陈汁及适量水煮成粥，将玄明粉及糖调入拌匀即可。

功　效：

1. 清热利湿、通便、退黄，适用于传染性肝炎的肝胆湿热证，尤适合于肝胆湿热、兼见腹满便秘者。
2. 玄明粉可通便泻热。

备　注：

玄明粉的用量可以由少渐增，直到大便通畅，每日食用1至2次即可。用量太大，易致腹泻；用量太小，则通便泻热之力不够，应据病情增减剂量，极量每天可用至15克。

鳛腾玉池

材　料：

活泥鳅 …… 200 克	味精 …… 少许
豆腐 …… 500 克	淀粉 …… 1 小匙
葱姜丝 …… ½ 大匙	葱末 …… 适量
①{黄酒 …… 适量	油 …… 适量
鲜汤 …… ¾ 杯	麻油 …… 少许
盐 …… 1 小匙	大纱布袋 …… 1 个

做　法：

1. 把泥鳅放入大纱布袋中，扎紧，投入沸水锅烫 1 分钟后取出，洗去表皮黏膜，剪去头尾、去内脏，洗净，斜切成长 2.5 厘米的段。
2. 把豆腐切成小块，放进沸水锅烫一下捞出。
3. 炒锅放油，烧热，投入葱姜丝，煸出香味后，放入泥鳅段和①料，再放入豆腐，加盖，以大火煮 4 分钟。
4. 出锅前加入味精，并以淀粉勾芡，撒上少许葱末，淋上麻油即可。

功　效：

1. 补脾疏肝、清利湿热，适用于传染性肝炎肝郁脾虚兼有湿热者。
2. 泥鳅性甘、平，可补中，与豆腐同食可治湿热黄疸。

备　注：

泥鳅又称鳛。

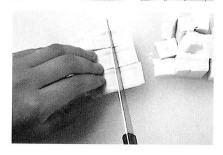

红玉堆盘

材　料：

番茄 · 500 克

① { 白芍 · 6 克

白蒺藜 · 12 克

何首乌 · 10 克

糖 · 50 克

做　法：

1. 番茄去蒂、洗净，划"十"字，再放入沸水锅中烫一下，捞出再入冷水中待凉，取出剥去皮。

2. 将番茄切成半月形的片，整齐摆放于盘中。

3. ①料入砂锅，加水 300 毫升，煎 30 分钟，滤汁 100 毫升，候凉浇入盘中。

4. 将糖撒在番茄上即可。

功　效：

1. 本菜适用于肝炎日久、肝肾阴亏，见口干、心烦、肢楚、易动虚火的患者。

2. 番茄能清热，且含有大量蛋白质和维生素 C，极利于肝脏病人；白芍、白蒺藜、何首乌均能滋阴柔肝、补肝肾。

肝硬化药膳

　　肝硬化是由于肝脏慢性弥漫性炎症，或广泛的肝实质变性和坏死逐渐演变而成。最常见的病因为病毒性肝炎、血吸虫病、胆道疾病和酒癖。

　　肝硬化的临床表现与肝脏代偿功能有关。当肝的代偿功能良好时，可毫无症状。代偿期的症状，主要有食欲减退、消化不良、恶心、腹胀、全身乏力等。体检可发现肝、肝肿大，或伴见蜘蛛痣、肝掌。到了失代偿期，症状和肝功能的损伤就显著，常伴有腹水、浮肿、黄疸等症状，有的上消化道大量出血。检验可见血清白蛋白降低、球蛋白升高，白球蛋白比例降低或倒置，麝香草酚浊度试验和硫酸锌浊度试验高于正常。

　　本病属中医"积聚"与"膨胀"病范畴。其病多由于情志失调、饮食所伤，或感受温热、寒湿，致气机失调，寒、热、痰、湿诸邪与气血互结，壅塞脉络所致。本病早期多为积聚，积聚日久，则成膨胀，并可虚实兼见。

　　临床常见症型有肝郁气滞、肝脾血瘀、脾虚湿困和肝肾阴虚。

　　肝郁气滞的症状特点为脘胁胀滞或胀痛、食后饱胀。肝脾血瘀的症状特点为脘胁硬痛不移、面黯消瘦。脾虚湿困的症状特点为腹大胀满、脘腹痞塞、面浮肢肿、大便稀溏。肝肾阴虚的症状特点为面色晦黯、口燥、心烦、鼻衄、牙龈出血。

　　肝硬化的发生与饮酒及饮食中低蛋白有关，因而肝硬化病人的饮食原则应是忌酒，多食高蛋白。此外，因肝硬化的胆汁分泌减少，影响脂肪消化，故还应进食低脂食物，少食多餐。在食道静脉曲张时，应进软食，以防粗硬食物刺破血管；腹水时，应食低盐食物；肝昏迷时，应停食含蛋白质的食物。

南国相思

材　料：

红豆	120 克		陈皮	6 克
鲤鱼	1 条（约 600 克）		白茅根	30 克
纱布袋	1 个	①	猪苓片	10 克
			茯苓片	15 克

做　法：

1. 红豆淘净；鲤鱼宰杀，去鳞、内脏后，洗净。
2. 将①料入纱布袋扎好。
3. 取一砂锅，放入红豆、鲤鱼和①料，加水 1500 毫升，用小火煨煮，至豆烂即可。

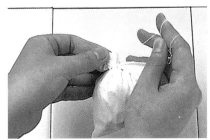

功　效：

1. 清热解毒、利水消肿，用于肝硬化腹水兼见内热者。
2. 红豆与猪苓、茯苓均为利水消肿要药；鲤鱼能滋补利水；红豆又能清热解毒。

紫珠玉丸

材　料：

紫珠草 ·························· 200 克（干品减半）

鸡蛋 ································· 5 个

红糖 ································· 1 大匙

做　法：

1. 将紫珠草稍冲洗，与带壳的鸡蛋放入砂锅中，加水 1500 毫升同煮。

2. 待鸡蛋煮熟后，取出剥去壳，再放回砂锅中，煮至鸡蛋发黑时，调入红糖稍煮即可。

功　效：

清热化瘀、凉血止血，用于肝硬化的肝脾血瘀证，尤适用于瘀热互结，症见面唇黯黑，舌红有瘀斑、鼻或齿龈出血者。

备　注：

每日早晚食蛋 2 枚。

忘忧仙草

材　料：

金针菜干	50 克		鸡汤	$\frac{1}{6}$ 杯
黑木耳	8 克		盐	1 小匙
湖虾米干	20 克	①	糖	$\frac{1}{2}$ 小匙
			味精	少许
			麻油	少许

做　法：

1. 金针菜、黑木耳分别用沸水浸开，去杂洗净。

2. 将金针菜挤干水分、去两头稍硬部分，再切成两段，与黑木耳拌和放盘中。

3. 虾米用热水浸开，捞出切碎，撒在金针菜和黑木耳上。

4. 将①料放入小碗中调匀，浇淋在菜上即可。

功　效：

1. 舒肝解郁、止血，适用于肝郁气滞型肝硬化。

2. 金针菜有理气解郁、令人欢乐之功能。

备　注：

金针菜又名忘忧草，故名。

玉盘堆雪

材料：

①
干贝 ·········· 50 克
鸡蛋清 ·········· 6 个
鳖甲 ·········· 12 克
桃仁 ·········· 10 克

②
葱白段 ·········· 8 段
姜片 ·········· 3 片
黄酒 ·········· 6 大匙
盐 ·········· ⅘小匙

③
黄酒 ·········· 少许
葱丝 ·········· 适量
味精 ·········· 少许
鲜汤 ·········· 1½ 大匙
花生油 ·········· 6 大匙

做 法：

1. 将干贝的沙质洗净，放入碗中，加入水适量和②料，上笼蒸约 30 分钟，捞起干贝，掰去老筋，搓散成丝。
2. 将蛋清打成泡沫状备用。
3. 炒锅放到小火上，入油，待油温达四分热时，将鸡蛋沫下锅，摊开鸡蛋沫，撒上干贝，再包起来。
4. ①料入小砂锅，加水 200 毫升，煎 30 分钟，滤汁 40 毫升，再放入③料拌匀，沿炒锅边沿浇下即可。

功 效：

1. 活血化瘀、滋阴消症，用于肝硬化的肝脾血瘀证。
2. 桃仁化瘀血；鳖甲消症阴；干贝滋阳，尤适用于血瘀兼阴虚患者。

蟠宴余珍

材 料：

桃仁 ·········· 300 克
宁波年糕 ·········· 12 片
糖 ·········· 1⅔ 大匙
油 ·········· 适量

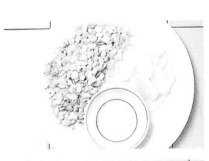

做 法：

1. 桃仁洗净，沥干水分。
2. 宁波年糕分开成片。
3. 锅中注油，将桃仁放入油锅，炸至酥香捞出，沥净油，放入盘中。
4. 宁波年糕入油锅，待软，再炸至酥黄出锅，围于盘的周围。
5. 将糖研细，撒于桃仁上即可。

功 效：

1. 活血化瘀、润肠通便，用于肝硬化的肝脾血瘀证。
2. 近年研究发现，桃仁能活血消症，并有明显抗肝纤维化的作用，对于肝硬化兼便秘者尤为适合。

备 注：

本菜只做佐餐，每次食用不宜超过 30 克。

慢性胃炎药膳

　　慢性胃炎即胃粘膜慢性炎症。其病因至今尚未完全明确，根据一些实验和临床观察，认为药物刺激、鼻腔口腔炎症和中枢神经系统调节障碍等可能与本病的发生有关。

　　慢性胃炎分为浅表性、萎缩性、肥厚性三种。其主症为上腹饱胀或疼痛，其中萎缩性胃炎多表现为口咽干燥、食后不消、胃中低酸；而肥厚性胃炎则多表现为泛酸、饥饿时胃痛等类似溃疡痛症状。有的慢性胃炎患者则表现为反复不规则的上腹发作性疼痛，或少量出血。萎缩性胃炎还常因胃中低酸影响铁的吸收，而并发贫血。

　　本病属中医"痞满"、"嘈杂"、"胃脘痛"等病范畴。病因有气郁、寒、热、虚多方面。临床常见症型有肝胃气滞、胃热阴虚、脾胃虚寒三种。肝胃气滞证的症状特点为脘腹胀闷、胃脘胀痛、嗳气频作、食后尤甚；胃热阴虚证的症状特点为胃中灼热、疼痛多顽固、颧赤、心烦、口干而苦；脾胃虚寒证的症状特点为胃脘隐痛、喜暖喜按、神疲乏力、手足不温。

　　慢性胃炎的饮食原则是少食多餐，食物应富含蛋白质和维生素。对于胃酸缺乏或偏低者应适当进食酸性食物或较浓的肉汁以促进胃酸分泌，少食用有碍胃酸分泌的动物脂肪。肥厚性胃炎出现胃酸过多者，则应少食肉汁及酸性食物。

魏武济汲

材　料：

① 乌梅 ‥‥‥‥‥ 30 克　　霍山石斛 ‥‥‥‥‥ 12 克
　　麦冬 ‥‥‥‥‥ 20 克　　糖 ‥‥‥‥‥‥‥ 1 大匙
　　甘草 ‥‥‥‥‥ 4 克
　　太子参 ‥‥‥‥ 30 克

做　法：

1. 将①料入砂锅，加水 1000 毫升，煎 30 分钟，滤汁。
2. 霍山石斛放入盅碗内，加水半满后加盖，隔水蒸 30 分钟，滤汁。
3. 将①料的煎汁和霍山石斛汁相混匀，加糖调匀即可。

功　效：

1. 清热养阴、生津开胃、止渴，用于胃热阴伤、津少口干。
2. 本道食疗为饮料，系据中医"酸甘化阴"理论设计。其中乌梅味酸；甘草、麦冬、石斛均味甘或甘寒，适用于胃酸缺乏、内热口干的萎缩性胃炎患者，亦适用于因暑热而引起的口渴。

备　注：

"魏武济汲"一词，典出"望梅止渴"。

阳春玉条

材　料：

猪肚	1000 克	胡椒粉	少许
① 草果	4 克	盐	1 小匙
花椒	3 克	黄酒	少许
阳春砂仁粉	10 克	淀粉	1 大匙
葱白	3 根	味精	少许
姜片	3 片	纱布袋	1 个

做　法：

1. 猪肚擦盐洗净，入沸水锅汆透，捞出，刮去猪肚内膜。
2. ①打成粗粉，入纱布袋扎好；葱、姜拍碎；阳春砂仁粉和胡椒粉磨成极细粉。
3. 猪肚放入锅中，加水 3000 毫升，并加入①料和葱、姜，煮熟后，捞出待凉。
4. 将猪肚切成长 5 厘米的细条状。
5. 另取一锅，加猪肚原汤 400 毫升在火上烧开，再下肚条和阳春砂仁粉、黄酒、胡椒粉及味精，拌匀后以淀粉勾芡即可。

功　效：

理气、化湿、开胃醒脾，用于慢性胃炎食欲不振、脘部作胀疼痛者。阳春砂仁为化湿醒脾、升胃之常用约。

备　注：

本药偏温燥，口干津少、胃酸缺乏者不宜食用。

西子无颦

材　料：

红枣	250克	柴胡	5克
银耳	20克	白芍	5克
佛手柑片	20克	① 当归	5克
蜂蜜	20克	香附	6克

做　法：

1. 红枣洗净，温水浸泡去核。
2. 银耳去杂洗净，用清水浸开。
3. 佛手柑片渍于蜂蜜中，加开水50毫升备用。
4. 银耳撕成小块，入烧锅，加水2000毫升，煮40分钟，再加入红枣同煮30分钟。

5. ①料入另一小砂锅，加水400毫升，煮30分钟后滤汁200毫升。
6. 将①料的煎汁和佛手柑片放入红枣、银耳中调匀即可。

功　效：

1. 调和肝胃，理气止痛，用于慢性胃炎肝胃气滞，见脘胀连胁、胃脘作痛者。
2. ①料为中医疏肝理气常用方"柴胡疏肝散"减味而成。

备　注：

传说西施（西子）有胃痛疾，每捧心蹙眉，本菜主治气滞胃痛，故名。

绛茧冰蚕

材　料：

荔枝	30粒
山药粉	10克
蓬莱米	150克

做　法：

1. 荔枝剥壳去核；蓬莱米淘净。
2. 将荔枝与山药粉入锅，加水400毫升煮至软烂时，再加入蓬莱米、适量的水煮成粥即可。

功　效：

1. 益气、温中、健脾、开胃、美容，适用于胃脘虚寒引起的胃脘部冷痛、胃纳不佳者。
2. 荔枝为水果之王，有人间仙果之称，其性温且润，能补气、温中、益智、美容，尤有益脾胃之疾。

备　注：

古人称荔枝壳为绛茧，荔枝肉为冰蚕，故名。

厚土崇坤

材　料：

黄牛肉	300克	葱段	4段
辣椒	1根	②｛姜片	3片
陈皮	10克	花生油	适量
草果	2克	盐	适量
花椒粉	2克	黄酒	1大匙
盐	⅓小匙	醋	少许
葱白段	3段	辣椒油	½小匙
姜片	2片	花生油	适量
①｛味精	少许	麻油	少许
糖	½大匙		
鲜汤	1大匙		
酱油	6大匙		

做　法：

1. 牛肉洗净，逆纹切成薄片备用。

2. 牛肉片放入碗中，加入②料拌匀，腌30分钟。

3. 辣椒去籽，切成段；陈皮用温水浸泡10分钟，切成小方块；草果敲扁。

4. ①料放入碗中调匀成调味汁。

5. 炒锅放旺火上，注入油适量，放入干辣椒段，炸至棕红色，再放入牛肉炒至肉色发白，加陈皮、草果、花椒粉、葱段、姜片，继续炒至牛肉酥香，再入调味汁、醋和辣椒油，待调味汁收干呈深棕色出锅，拣去葱、姜，淋上麻油即可。

功　效：

1. 益气健脾、温胃散寒，适用于脾胃虚寒引起的胃脘隐痛、食欲不佳者。

2. 牛肉性温，功能在脾胃，《医林纂要》说："牛肉味甘，能补脾土。"《本草纲目》言："牛肉补气，与黄芪同功。"现将其与温胃散寒的草果及理气化痰、开胃的陈皮同用，则补中有温、补而不滞，极利于脾胃虚寒病人。

备　注：

脾胃在五行属土，具坤德，故名。

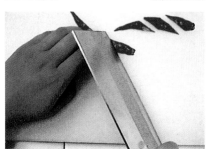

胃和十二指肠溃疡药膳

　　胃和十二指肠溃疡又称溃疡病，是由于大脑皮层长期受到过度刺激，功能发生紊乱，致使胃和十二指肠局部黏膜的抵抗力减弱，在胃酸的腐蚀下出现溃疡病灶而发病。

　　溃疡病的症状以慢性、周期性和节律性的上腹部疼痛为特点。所谓周期性是指本病常在季节交换、气候突变时发作。所谓节律性，则表现为溃疡病，大多在饭后30分钟至2小时内发生疼痛；十二指肠溃疡则往往在饭后3至4小时后开始疼痛。此外病人还常伴有腹胀、恶心、胸胁胀满等症状。

　　本病属中医胃脘痛范畴。病因有寒、热、气郁、正虚多方面。寒邪客胃引起胃痛的症状特点为胃痛喜暖、得温痛减、口不渴。饮食停胃引起胃痛的症状特点为脘腹胀满、嗳腐吞酸、吐食或矢气后痛减。肝气犯胃引起胃痛的症状特点为胃脘胀闷、攻撑作痛、嗳气频繁。肝胃郁热引起胃痛的症状特点为胃脘灼痛、痛势急迫、烦躁易怒、泛酸嘈杂。胃阴亏虚引起的胃痛的症状特点为胃痛隐隐、口咽干燥、大便干结。脾胃虚寒引起胃痛的症状特点胃痛绵绵、喜暖喜按、乏力神疲、手足欠温。

　　胃和十二指肠溃疡的饮食原则是定时定量，少食多餐。为减少对病灶的刺激，对生、冷、硬、酸、辣、过热等食物应少吃或不吃，饮食宜富含蛋白质和维生素。

蓝田太璞

材　料：

① 马铃薯 ········ 150 克
　山药粉 ········ 150 克
　浙贝母粉 ······· 10 克
　乌贼骨粉 ······· 10 克

② 盐 ··········· 适量
　味精 ·········· 适量
　淀粉 ·········· 少许

黄瓜片 ········ 25 克
葱姜末 ········ ½ 大匙

③ 酱油 ·········· ½ 小匙
　糖 ··········· 2 小匙
　味精 ·········· 少许
　黄酒 ·········· 1 小匙
　盐 ··········· 1 小匙

黄豆芽汤 ······· ½ 杯
淀粉 ·········· 适量
油 ··········· 适量

做　法：

1. 马铃薯洗净，上笼蒸熟，取出待凉，去皮捣碎压挤成泥，加水适量，放入盆中混匀。
2. 将③料拌匀备用。
3. 将①料和②料拌入马铃薯泥，揉匀后，再擀成厚0.5厘米的片状，再用刀切成1.5厘米长、3.5厘米宽的段，沾匀淀粉备用。
4. 炒锅置火上，放上油，烧至六成热时，将山药马铃薯片，下锅划开，炸至浅黄色时捞出，沥干油，锅内留3大匙油备用。
5. 葱姜末放入原来的炒锅，炒香后下黄瓜片，翻炒片刻，再放入炸好的山药马铃薯片，倒入③料调成的汁，炒几下，淋入麻油，装盘即可。

功　效：

清热制酸、健脾、通便，适用于溃疡病见胃有郁热，时有泛酸者，其中①能制酸止痛，为治疗溃疡病的经验药。

灵苗甘乳

材　料：

鲜豆浆 …………………………………………… 1¼ 杯
鲜牛奶 …………………………………………… 4 大匙
白芨粉 …………………………………………… 8 克
鸡蛋清 …………………………………………… 1 个

做　法：

1. 豆浆、牛奶调匀，放入烧锅中煮开。

2. 将鸡蛋清打入碗中，搅匀，掺入豆浆、牛奶中略煮，盛出撒
　入白芨粉调匀即可。

功　效：

养胃补中、弥合溃疡，适用于各型溃疡病，早期使用，效果尤显。

备　注：

1. 以早晨空腹服用为佳。

2. 大豆，雅称灵苗。

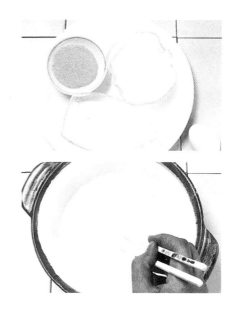

香汤沃雪

材　料：

　　　高良姜 ……………………………………… 6 克
　　　香附 …………………………………………… 10 克
① 　姜片 …………………………………………… 3 片
　　　红枣 …………………………………………… 10 粒
　　　红糖 …………………………………………… 40 克

做　法：

1. 将①料放入砂锅中，加水1000毫升，煎煮30分钟，滤取煎汁
　400毫升。

2. 趁热将红糖加入①料的煎汁中，搅匀即可。

功　效：

1. 温胃散寒、理气止痛，适用于寒邪客胃引起的胃痛。

2. ①料中的高良姜和香附相配，为中医治疗寒邪客胃引起的胃
　痛名方"良附丸"，辅以姜、红枣，则散寒之力更宏。

鱼跃芙蓉

材　料：

活鲫鱼 ……… 300 克
猴头菇（罐头）… 30 克
鸡蛋清 ……… 5 个
① ⎰ 玫瑰花 ……… 12 克
　⎱ 生麦芽 ……… 15 克

② ⎧ 盐 ………… 1/5 小匙
　⎪ 味精 ……… 适量
　⎨ 葱姜末 …… 1/2 小匙
　⎪ 白酒 ……… 少许
　⎩ 麻油 ……… 少许

做　法：

1. 鲫鱼去鳞和内脏，洗净后放入深盘中。
2. 猴头菇洗净，切成薄片，放入另一碗中，并将鸡蛋清打入其中。
3. ①料放入小烧锅中，加水 200 毫升，煎 10 分钟，滤汁 100 毫升备用。
4. 将②料、60 毫升的水和煎汁加入猴头菇片和鸡蛋清中，搅散后倒入盛鲫鱼的深盘，上笼蒸 10 分钟即可。

功　效：

养胃开胃、理气宽中，用于气滞兼食滞型溃疡病。

戊土熙春

材　料：

红枣	150 克	麦芽糖	4 大匙
黑木耳	10 克	纱布袋	1 个

　　① ⎧ 黄芪片 ········· 30 克
　　　⎪ 桂枝 ··········· 10 克
　　　⎨ 炙甘草 ········· 4 克
　　　⎪ 白芍 ··········· 6 克
　　　⎩ 姜片 ··········· 3 片

做　法：

1. 红枣洗净、泡软，剥去核；黑木耳洗去泥杂，热水浸开，切块备用。
2. 将①料用纱布袋扎好。
3. 砂锅放入红枣和黑木耳，加水 1500 毫升，煮 30 分钟，再将①料放入，煮 20 分钟，滤汁，趁热将麦芽糖加入汁中搅动，待麦芽糖完全化开即可服食。

功　效：

温中健脾、益气、缓急止痛，用于脾胃虚寒而无泛酸的溃疡病，其中①料和麦芽糖相伍，为中医治疗脾胃虚寒的名方"建中汤"。

备　注：

胃有泛酸或进甜食后胃部不适者，不宜用此药膳。脾胃按干支相配属戊巳。

肾脏病药膳

　　肾脏疾病有多种，常见的有肾小球肾炎、肾盂肾炎、肾结石三种。肾小球肾炎有急性、慢性之分。急性肾小球肾炎，其病因一般认为系由于感染溶血性链球菌后，引起自身免疫反应而发病。其症状以颜面浮肿、蛋白尿、血尿和高血压为主。本病属中医"风水"、"肾风"等病范畴。中医认为，其发病多因外感风邪、湿热、致肺气不宣，失于通调水道所致。早期邪实为主多属阳水，晚期邪恋正虚则属阴水。阳水常见症型有风水泛表、湿毒侵淫、水湿浸渍。风水泛表的症状特点为眼睑浮肿，继及全身，来势迅速，多为恶寒发热；湿毒侵淫的症状特点为眼睑浮肿、身发疮痍、咽喉肿痛；水湿浸渍的症状特点为全身水肿、按之没指、身体困重、胸闷。

　　肾炎病程日久，尿蛋白和管型长期不尽，水肿不显或水肿羁延不消者，多为慢性肾炎。此期相当于中医的"阴水"。其常见症型为脾肾阳虚和肝肾阴虚。脾肾阳虚的症状特点为水肿羁延、小便量少、腰酸背冷、四肢不温、口淡不渴，大便稀溏；肝肾阴虚的症状特点为水肿轻微或无浮肿、头晕耳鸣、咽干口燥、颧红盗汗等。

　　肾盂肾炎一病与肾小球肾炎是完全不同的疾病。其病因系细菌感染肾盂，最常见的致病菌为大肠杆菌。急性期的症状为寒颤、高热、尿频、尿急、尿痛、尿灼热，尿检验有大量脓细胞。本病属中医"热淋"范畴，病因在于"湿热"，治疗原则是清热利湿。

　　肾结石是由于尿的成分变化，尿中某些物质结晶析出沉积而成。中医认为系由于下焦湿热、煎炼尿液而成，治疗方法在于清利湿热化石。

　　肾脏疾病不同，饮食原则也不同。肾炎病人应据水肿情况禁盐或食低盐食品。如患者血中有氮质代谢产物滞留，出现恶心、呕吐等症状时，应严格限制蛋白质的摄入，可增加糖及脂肪的摄入量，肾炎病人还应补充足够的维生素，少饮水。肾盂肾炎病人的饮食宜清淡，并应多饮水以冲淡细菌毒素。肾结石的病人因结晶易析出，所以也应多饮水，以使尿液稀释。如结石属草酸盐结晶，应尽量少食或不食含草酸的菠菜、苋菜等食物，亦忌食维生素C（维生素C代谢后可形成草酸）。如为磷酸盐结石，应多食酸性食物。尿酸盐结石则相反，应多食蔬菜、水果等碱性食物，限制蛋白质和富含嘌呤的食物。上述的三种肾脏疾病均忌食辛辣刺激性食物。

君子之交

材　料：

淡菜 · · · · · · · · · · · 60 克　　　　　滑石 · · · · · · · · · · 30 克
冬瓜 · · · · · · · · · · · 300 克　　①{ 猪苓片 · · · · · · · 10 克
西瓜皮 · · · · · · · · · · ½ 个　　　　山萸肉 · · · · · · · 6 克
香菇 · · · · · · · · · · · 12 克　　　　　油 · · · · · · · · · · · · 适量
火腿片 · · · · · · · · · · 20 克　　　　纱布袋 · · · · · · · · 1 只

做　法：

1. 淡菜用温水发开，去泥沙、肠杂，洗净。

2. 冬瓜去皮，洗净，切成长4厘米、宽3厘米的薄片；西瓜皮里
　 层取下，削成极薄片，均匀铺于碗的内壁。

3. 香菇洗净、去梗，用温水发开，切成丝。

4. 将①料中的滑石入纱布袋扎好，与另二味药入砂锅，加水400
　 毫升，煮40分钟，滤取全部煎汁。

5. 炒锅注油烧热，入冬瓜煸炒15分钟后，加入淡菜、香菇丝及
　 火腿稍翻炒，盛入有西瓜皮的碗中，加入①料的煎汁，再上
　 笼蒸20分钟，取出反扣于平盘中即可。

功　效：

1. 滋补肝肾、利水消肿，适用于慢性肾炎的肝肾亏虚证。

2. 淡菜、山萸肉可补肝肾；冬瓜、滑石、猪苓利水。

绿肥红瘦

材 料：

西瓜皮 ··· 600 克
白茅根 ··· 120 克
红豆 ··· 50 克
糖 ·· 4 小匙
大纱布袋 ··· 1 个

做 法：

1. 选厚嫩西瓜皮，削去外层及硬皮，内留薄薄红瓤，洗净、切碎，入果汁机磨碎榨汁。
2. 白茅根洗净，切成长 2.5 厘米的段，入大纱布袋扎好。
3. 红豆淘洗干净，连同白茅根一起入砂锅，加水 500 毫升煮烂后，取出白茅根，加入西瓜皮汁，拌入糖即可。

功 效：

1. 消热解毒、利水消肿，适用于急性肾炎的湿毒侵淫证，外有水肿、内热口干者。
2. 西瓜皮生津而利水；白茅根清热凉血，可止尿血；红豆清热解毒、利水消肿。

大浪淘沙

材 料：

① ┌ 金钱草 ··· 60 克
　├ 海金沙 ··· 15 克
　├ 鸡内金 ··· 12 克
　└ 鲜竹叶 ··· 30 克
　　绿茶 ··· 1 小匙

做 法：

1. 将①料入砂锅，加水 1000 毫升，煮 30 分钟，滤汁备用。
2. 将绿茶放入杯中，将①料的滤汁趁热倒入杯中，加盖，浸泡 20 分钟即可。

功 效：

1. 清利湿热、化石通淋，适用于多种类型的输尿管结石。
2. 菜中金钱草、海金沙为治疗肾结石的常用药。

备 注：

每天可饮药茶 300 毫升至 600 毫升。

六月飘雪

材　料：

鲤鱼 ······ 1条（约600克）　　味精 ··············· 少许

六月雪 ············ 60克　　　　油 ················· 适量

车前子 ············ 10克　　　　纱布袋 ············· 1个

荠菜 ············· 25克

做　法：

1. 鲤鱼去鳞，剖去肠杂，洗净；将荠菜挑去杂质，洗净后泡软，切碎成末。
2. 车前子入纱布袋扎好，放入鱼腹中。
3. 将六月雪入砂锅，加水350毫升，煮30分钟，滤取全部煎汁备用。
4. 炒锅注油，将鱼入锅中略煎，加500毫升的水煮30分钟，再加入六月雪的煎汁，并撒入荠菜末及味精即可。

功　效：

1. 清热解毒、祛风消肿，用于急、慢性肾炎中的风水泛表兼湿毒侵淫证。
2. 鲤鱼可利水消肿；六月雪有清热解毒、祛风消肿、止血等功效，为治疗肾炎常用药。

备　注：

有氮质血症者，不宜食用本菜。

采采芣苢

材　料：

鲜车前草	400 克	秋石	1.5 克
干荠菜	150 克	味精	少许
芹菜	100 克	高筋面粉	500 克
猪肉	300 克	低筋面粉	500 克
鸡蛋	1 个	花生油	适量

做　法：

1. 车前草洗净后剁碎；荠菜拣清，洗净、泡软后切成细末；芹菜去根、洗净，亦切成细末备用。
2. 猪肉洗净，剁成茸。
3. 车前草、荠菜末、猪肉茸放入碗中，将秋石、味精加热水 30 毫升化开后，同油加入菜肉中拌成馅。
4. 将高、低筋面粉拌匀，加入 400 毫升的温水、鸡蛋和成面团，揉匀后切成核桃大小的面团，再擀成皮，放上馅，包成饺子。
5. 大锅加水烧开，下饺子，煮开后，掺入 1 碗冷水，水沸再加冷水，反复三四次，煮至饺子浮起时即可。

功　效：

1. 清热解毒、利水消肿，适用于急性肾炎中的湿毒侵淫证。
2. 车前草可以清热解毒、利水消肿；荠菜可以利水止血。

备　注：

芣苢，即车前草。"采采芣苢"，句见于《诗经·周南》。

糖尿病药膳

　　糖尿病是由于体内胰岛素分泌绝对或相对不足，而引起的代谢紊乱性疾病。胰岛素的主要功能是使血糖氧化，促进糖元合成；或使糖转变成脂肪，从而使血糖降低。糖尿病人因胰岛素不足，血糖的上述三条去路被阻，因而可见血糖增高。

　　血糖过高时，可经血循环至肾，而随尿排出体外，此即为糖尿，故名糖尿病。由于排糖时需带走大量水分，所以又有多尿症状出现。多尿会使身体失水过多，从而引起口渴，因而又会导致多饮。血糖大量流失、热量来源不足，于是饥饿感强烈而产生多食。热量供给不足，促使组织蛋白质分解，患者于是日渐消瘦至体重减少。这就是典型糖尿病人的三多一少症状。

　　糖尿病在中医属消渴病范畴，病理机制在于阴虚燥热。其中口渴明显者属上消，饥饿能食明显者属中消，多尿者为下消。

　　治疗糖尿病主要在于滋阴清热生津，食疗菜肴也是据治疗机理设计的。糖尿病人的饮食原则是应严格节制的，应由医生根据病情制定食谱和食量，饮食以高蛋白、高热量、高纤维素、低胆固醇食物为主。

块玉翡翠

材　料：

鸡脯肉	90 克	鸡蛋清	6 个
山药片	40 克	盐	3/5 小匙
菠菜	250 克	黄酒	适量
火腿	20 克	味精	少许
水发冬菇	6 克	淀粉	2 大匙
①{霍山石斛	15 克	猪油	少许
芦根	15 克	鸡油	少许
鸡汤	2 大匙		

做　法：

1. 鸡脯肉洗净、剁成茸，盛入碗内。菠菜洗净，下开水锅烫一下，捞出，用冷水漂净，磨成汁，倒入盛有鸡茸的碗内，加入蛋清、黄酒调匀后，倒入已抹上一层猪油的盘内，上笼蒸10 分钟，取出，稍凉覆在砧板上，切成薄片。
2. 火腿、冬菇切片；山药片加水 1000 毫升煮熟至透明状备用。
3. 将①料切碎，放入烧锅，加水 150 毫升，煎 10 分钟后，滤取煎汁 25 毫升备用。
4. 炒锅加入少许鸡油，放入山药片稍炒后，加入鸡汤、火腿片、鸡茸、冬菇片、盐、味精和①料的煎汁，用小火稍烩，加水和淀粉勾芡即可。

功　效：

1. 本菜既富营养，又可治疗上消、中消。
2. 山药既是食品，又是治疗糖尿病的主药，配以性甘寒的霍山石斛或芦根，均能滋阴生津；鸡脯肉、菠菜汁等既含高蛋白，又富含维生素，亦是良药。

备　注：

本菜中，山药洁白似玉，菜汁、鸡脯片翠绿透明如翡翠，故名。

雪落琼瑶

材　料：

去皮鲜荸荠 ···· 150 克
海蜇 ········· 200 克
大黄瓜 ········· 1 条
① { 生地 ······· 5 克
　　麦冬 ······· 10 克

② {
酱油 ········· 2 大匙
盐 ·········· ½ 小匙
醋 ·········· ½ 小匙
香油 ········· 2 小匙
味精 ········· 少许

做　法：

1. 海蜇洗去盐，用温水发开（不可用热水），洗净，切成长 3 厘米、宽 0.5 厘米的条状，铺放在盘中。
2. 荸荠洗净后拍碎，均匀地撒在海蜇上。
3. 黄瓜洗净，去蒂和籽瓤，切成花形的薄片，围在海蜇的外围。
4. ②料放入碗中，拌匀备用。
5. 将①料放入小烧锅中，加水 ½ 碗煎成汁，再取滤汁 15 至 20 毫升，同拌匀的②料浇在盘中即可。

功　效：

1. 本菜综合功效在于清热、滋阴、生津止渴，用于上消。
2. 荸荠伍海蜇为中医名方"雪羹汤"，功能清热、生津止渴。黄瓜性甘寒，可生津；生地、麦冬性寒凉，为治疗糖尿病常用药，能滋养心、肾、肺、胃之阴。

备　注：

菜肴中，海蜇色白透明，荸荠碎后如堆雪，性味皆寒，令人有瑶台雪景之联想。

西施浣纱

材 料：

干腐竹	……… 60 克	盐	……… ⅗ 小匙
绿豆芽	……… 250 克	青蒜黄芽末	…… ½ 大匙
熟鸡脯肉	……… 20 克	酱油	……… 2 大匙
虾米	……… 10 克	鲜鸡汤	……… 3 大匙
生石膏	……… 30 克	味精	……… 少许
① 知母	……… 4 克	香油	……… ½ 大匙
甘草	……… 2 克		

（② 括住"青蒜黄芽末、酱油、鲜鸡汤、味精、香油"）

做 法：

1. 腐竹用温水发开，洗净，切成 8 厘米长的段，再切成丝，整齐地放在盘中。
2. 绿豆芽切去头尾，洗净，入沸水烫 1 至 2 分钟后捞出，滤去水分，均匀地铺在腐竹丝中间。
3. 鸡脯肉撕成丝，铺放在绿豆芽中间；虾米用开水泡开，点缀于外围。
4. 将②料入碗中，拌匀备用。
5. 将①料放在烧锅中，加水 250 毫升，煎 20 分钟后，取滤汁 30 毫升，同拌匀的②料浇于盘中即可。

功 效：

1. 本菜适用中消，也可用于上消。
2. 菜肴中主料为豆制品和绿豆芽，前者为糖尿病常用食品，绿豆芽性凉可清热，①的组成近似中医名方白虎汤，可清胃中热、去烦热、止渴。

备 注：

菜中的腐竹、绿豆芽、鸡丝皆色白，用以摹拟西施所浣之纱。

素纨掩朱

材料：

山药粉	· · · · · · · · · · ·	500 克
面粉	· · · · · · · · · · ·	500 克
猪肉	· · · · · · · · · · ·	400 克
白菜心	· · · · · · · · ·	250 克
山萸肉	· · · · · · · · ·	50 克
枸杞子	· · · · · · · · ·	250 克

① { 酵母粉 · · · · · · · · 3.5 克
糖 · · · · · · · · · · ½ 大匙

② { 葱末 · · · · · · · · · ½ 大匙
盐 · · · · · · · · · · · ⅓ 大匙
味精 · · · · · · · · · 少许
香油 · · · · · · · · · 1 大匙
鸡蛋清 · · · · · · · · · 1 个

做 法：

1. ①料加温水450毫升混合调匀，静置10分钟后，再将山药粉、面粉拌入揉匀，静置发酵，再揉匀做成每个20克重的面团数个。
2. 猪肉洗净，剁成茸，加入②料拌匀。
3. 白菜心切碎，挤去水分；山萸肉、枸杞子用温水浸软，切碎备用。
4. 将切碎的白菜心、山萸肉、枸杞子全部放入肉茸中搅匀。
5. 将面团擀成中厚外薄的扁圆皮，加入肉茸，包成小笼包子，上笼蒸25分钟即可。

功 效：

1. 本食品尤适用于下消病人。
2. 山萸肉、枸杞子均能补肾滋阴、固摄尿液；山药能健脾，为治疗糖尿病的主药。

备 注：

山萸肉取去心后使用。

白玉丹砂

材　料：

嫩豆腐 …………… 500 克
熟鸭蛋黄 …………… 2 个
竹笋 …………… 25 克
水发黑木耳 …………… 10 克
嫩黄瓜 …………… 25 克
六味地黄丸 …………… 6 克

① 盐 …………… ½ 小匙
　味精 …………… 少许
　黄酒 …………… 少许
　鲜汤 …………… 2 大匙
　葱末 …………… ½ 大匙
淀粉 …………… 2 大匙
香油 …………… 1 小匙
纱布袋 …………… 1 个

做　法：

1. 嫩豆腐洗净，每块皆横切成 2 大片。
2. 水发木耳洗净，切成小块；竹笋、黄瓜洗净，分别切成 1 厘米见方的丁；将熟鸭蛋黄切碎备用。
3. 六味地黄丸入纱布袋扎好，入小烧锅中，加水 50 毫升煎成汁，取滤汁 20 毫升备用。
4. 将炒锅置火上，加香油烧热，放入豆腐片，待两面煎成金黄色，盛起置盘中。原锅再下笋丁、黄瓜丁、木耳炒匀，再加入煎汁和①料，烧开后用淀粉勾芡，再将鸭蛋黄末下锅，搅匀盛于豆腐片上即可。

功　效：

豆腐为糖尿病人的主食；六味地黄丸为中医滋阴名方，能滋肾阴，治下消，对下消病人尤为适宜。

备　注：

本菜豆腐色白似玉，鸭蛋黄色红如朱，故名。

类风湿性关节炎药膳

　　类风湿性关节炎是一种以关节病变为主的慢性全身性自身免疫性疾病。自身免疫，首先使关节的滑膜出现渗出和水肿，继之肉芽组织增生伸入关节腔。由于增生组织含水解酶的作用，使软骨被水解、破坏。软骨下骨质受侵蚀，至晚期，肉芽组织又会纤维化和骨化，从而导致关节肿胀畸型、强直。本病侵害的部位多为手、腕、足等小关节，并表现为多发性、对称性。

　　本病属中医的"痹证"、"历节"等病症的范畴。中医认为其发生系由于风、寒、湿侵袭肢体，久则兼有血瘀和肾虚。其中风邪侵犯人体而发病的称为行痹，症状特点为关节疼痛、游走不定，兼热者可见局部红肿、热。寒邪侵犯人体而发病的称为寒痹（痛痹），症状特点为关节疼痛剧烈，痛处不红、不热，有冷感。湿邪侵犯人体而发病的称为湿痹（著痹），症状特点为关节痛处固定酸重、肌肤麻木。热邪侵犯人体而发病的称为热痹，症状特点为关节红肿、灼热，并兼有口渴、出汗等症状。

　　类风湿性关节炎的饮食原则应以素淡为主，少食肥甘。因肥、甘易化湿生痰，而有碍湿邪的祛除。如是热痹，则应忌食辛辣之品。

枫桥夜泊

材料：

牛蹄筋 ·········· 700 克
① { 怀牛膝 ········· 10 克
   { 杜仲 ·········· 10 克
霍山石斛 ········· 10 克
② { 葱段 ·········· 4 段
   { 姜片 ·········· 6 片
   { 黄酒 ·········· 2 小匙
   { 盐 ··········· 1 小匙
   { 糖 ·········· 少许

鸡汤 ·········· 1 杯
白萝卜 ········· 2 根
红萝卜 ········· 1 根
黄酒 ·········· 适量
鲜汤 ········· 2½ 杯
味精 ·········· 少许
花生油 ········· 适量

做法：

1. 牛蹄筋去杂质，切成长 4.5 厘米的段，放入开水锅里烫透后捞出，沥干水分。
2. 取砂锅，放入牛筋，加入鲜汤，并加入②料，烧开后，用小火炖烂，取出牛筋，汤汁不要。
3. 将①料入干净的砂锅，加水 200 毫升，煎至浓，滤取汁 40 毫升。
4. 霍山石斛用冷水浸软，入参盅，加水 100 毫升，盖紧，隔水蒸透；滤汁备用。
5. 炒锅放入油，加入黄酒、鸡汤、①的煎汁和霍山石斛汁，烧开后加入牛蹄筋及 1 小匙黄酒煨透。
6. 用白萝卜雕一白玉桥，用红萝卜雕一有桅小船，摆放于盘内。将煨透的牛蹄筋盛入盘中即可。

功效：

1. 强腰膝、壮筋骨、祛风湿，用于类风湿性关节炎已久、正气亏虚者。
2. 牛蹄筋、怀牛膝均有强腰膝，壮筋骨之功；杜仲补肾、强腰膝，并可祛风湿；牛蹄筋富含胶质蛋白，不易消化；而霍山石斛可以滋胃汁，助消化，极利于牛蹄筋的消化吸收。

银龙玉凤

材　料：

乌梢蛇 ……… 1条（约600克）
鲍鱼菇 …………… 100克
鸡脯肉 …………… 60克
青椒 ……………… 50克
葱姜丝 …………… 1大匙
盐 ……………… ²∕₃小匙
味精 …………… 少许
淀粉 …………… ²∕₃大匙
油 …………… 适量

① 当归 …………… 6克
　 防风 …………… 4克
　 葱段 …………… 4段
② 姜片 …………… 5片
　 陈皮 …………… 4克
　 黄酒 …………… 适量

做　法：

1. 将蛇宰杀，去皮及头尾肠杂，洗净后切成长20厘米的段，同鸡脯肉一起入开水烫一下，捞出，入砂锅，加入清水1000毫升，并加入②料，盖紧，烧开后用小火烧至烂熟后捞出，用将肉撕成丝。
2. 鲍鱼菇洗净，切成细丝；青椒洗净，去籽后切丝备用。
3. 将①料放入另一砂锅，加水100毫升，煎30分钟，滤汁20毫升。
4. 铝炒锅注油，烧热后入葱姜丝煸香，再放入鲍鱼菇丝、青椒丝、鸡肉丝、蛇肉丝煸炒，至将熟时加入盐，并取肉汁100毫升与①料的煎汁兑匀，浇入锅中，冉加味精、淀粉勾芡即可。

功　效：

1. 祛风、通经、活血，适用于类风湿性关节炎行痹证。
2. 乌梢蛇可以祛风通经络，为中医治疗风湿痹证常用药；防风祛风，当归活血，共用则相得益彰。

备　注：

1. 乌梢蛇烹制时，忌用铁锅。
2. 如无乌梢蛇，也可用其它蛇代之。

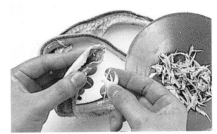

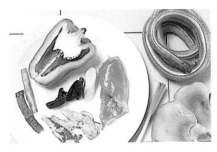

灵仙独活

材　料：

山药片 ······· 300 克
薏仁 ········· 100 克
冬菇 ········· 100 克
① { 威灵仙 ······· 6 克
　　独活 ········· 6 克

② { 盐 ··········· ⅔ 小匙
　　糖 ··········· ⅔ 小匙
　　酱油 ········· 2 小匙
　　味精 ········· 少许
鸡汤 ········· 2 大匙
淀粉 ········· ½ 大匙
油 ··········· 适量

做　法：

1. 冬菇洗净，切成薄片。
2. 薏仁淘洗干净，放入砂罐，加水 300 毫升，上笼蒸熟取下。
3. 将①料入另一小砂锅，加水 100 毫升，煎 30 分钟，滤取汁 20 毫升备用。
4. 炒锅注油，烧热后入山药片、冬菇片翻炒，将熟时将薏仁倒入同炒。
5. 将鸡汤与①料的煎汁在小碗中调匀，再加入②料，拌匀后浇入锅中，用淀粉勾芡即可。

功　效：

1. 化湿、通络祛风，用于类风湿性关节炎中的著痹。
2. 威灵仙、独活，能祛风化湿通痹；薏仁利湿；山药健脾化湿。

碎玉玛瑙

材　料：

糙米 ········· 100 克
红枣 ········· 20 个
① { 麻黄 ········· 6 克
　　制川乌 ······· 10 克

姜汁 ········· 2 小匙
蜂蜜 ········· 2 小匙
纱布袋 ········· 1 个

做　法：

1. 糙米淘净，红枣泡软、去核洗净，加入适量水煮粥。
2. 将①料入纱布袋扎好，放入砂锅，加水 300 毫升，煮 30 分钟，滤汁 100 毫升。
3. 待粥将熟时，将①料的煎汁、姜汁和蜂蜜加入粥中搅匀，略煮即可。

功　效：

1. 可温经、发汗散寒且定痛，适用于类风湿性关节炎的寒痹证。
2. 麻黄发汗散寒；制川乌温经散寒；蜂蜜则可抑制药物产生副作用。

金蝶齐飞

材　料：

大黄鳝 … 5条（约1000克）	① 杜仲 …………… 10克
大蒜头 ……………… 6瓣	川断 …………… 6克
淀粉 ……………… ½大匙	② 酱油 …………… 1½小匙
胡椒粉 …………… 少许	黄酒 …………… 少许
油 ………………… 适量	味精 …………… 少许
麻油 ……………… 少许	糖 …………… ½小匙

做　法：

1. 黄鳝杀死，剖腹去内脏，用干净的布擦净血秽黏液（不要用水洗），拆去脊椎骨，用刀将鳝背片成蝴蝶形的片子。
2. 将①料放入小砂锅中，加水120毫升，煮40分钟，滤取浓汁20毫升备用。
3. 炒锅注油，待油温七分热时，把鳝鱼片下锅划开，用旺火烫一下迅速倒入漏勺沥油。
4. 另取一炒锅，放油1大匙，把蒜头去皮、拍扁下锅，爆香后，加②料和①料的煎汁炒匀，并用淀粉勾芡搅拌，待卤汁浓稠时，倒入鳝鱼片翻炒几下，淋入麻油，撒上胡椒粉即可。

功　效：

1. 壮腰强身、祛风湿，用于类风湿性关节炎的腰部酸重疼痛 脊柱部病变为主者。
2. 鳝鱼、杜仲、川断均能强筋骨、壮腰膝，后两者尚能祛风湿。

备　注：

拆骨方法：用剪刀在鳝鱼腹部内贴住脊椎骨，从头划到尾部，再用刀贴住内面剔去脊椎骨即可。

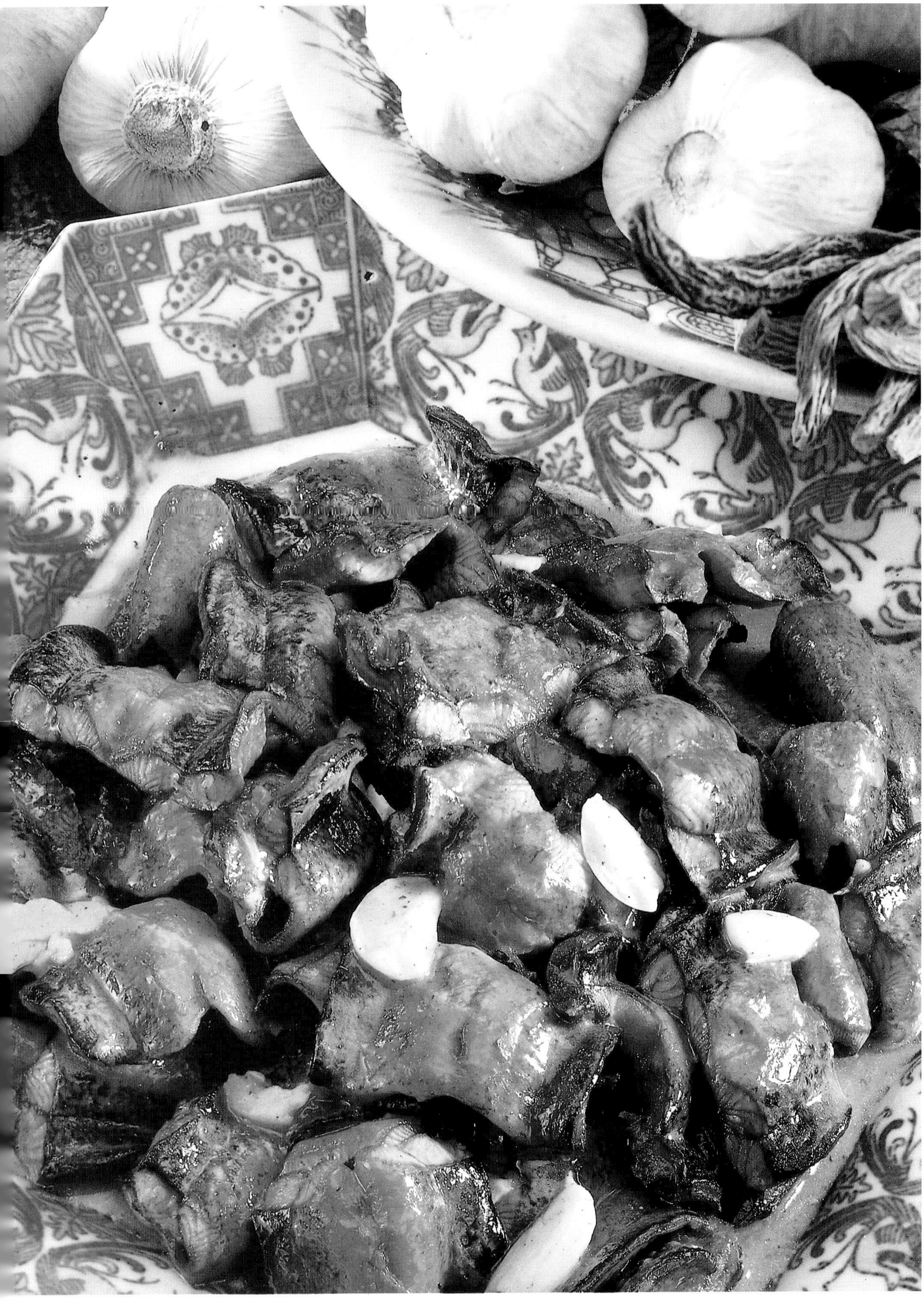

感冒药膳

感冒是由于流感病毒和一组鼻病毒，或流感杆菌等引起的上呼吸道急性炎症性疾病。中医认为本病系由风邪侵袭人体所致，故又称伤风。其主症为鼻塞、流涕、喷嚏、咳嗽、头痛、恶寒发热。其中风邪夹寒侵入人体者称为风寒感冒，症候特点是恶寒重、发热轻、无汗、头痛、口不渴、鼻流清涕、痰色稀白。风邪夹热者称为风热感冒，症候特点是身热重、恶寒轻、口干咽燥、涕浓、痰黏或黄。时当夏令风兼暑湿之邪侵犯人体而发感冒者称为暑湿感冒，症候特点是发热倦怠、微恶风、头昏重、胸闷泛恶、口中黏腻。身体素弱者，除见感冒症状外，又见到肢体倦怠、咳痰无力、口咽干燥、舌苔少，脉细弱无力者称为虚人感冒。

感冒食疗菜肴是依上述不同症型设计的，应用时应针对症候特点而有不同的选择。

冬月晴空

材　料：

水发海参	150 克	水发粉丝	150 克
油发鱼肚	25 克	葱姜汁	½ 大匙
猪肉丸	100 克	黄酒	1 大匙
鱼丸	100 克	① 味精	适量
熟鸡肉	100 克	盐	适量
虾仁	100 克	胡椒粉	少许
竹笋	50 克	鸡油	2 小匙
熟火腿	50 克	鸡汤	10 杯
青江菜	100 克	碱水	适量
白菜	300 克		

做　法：

1. 将水发海参洗干净，切成厚片；鱼肚用水泡透，用热碱水洗去油腻，再用温水洗去碱味，斜刀切成片；熟鸡肉切成厚片；火腿切成长方片。

2. 海参、鱼肚、青江菜分别入开水汆透捞出，用冷水冲凉。白菜入锅，加油煸熟。

3. 把火锅洗净，先放入白菜叶垫底，上面放上细粉丝，然后把海参、鱼肚、肉丸、鱼丸、熟鸡肉片、虾仁，按照不同颜色、荤素相间顺序排放在白菜、粉丝上，竹笋、火腿、青江菜分别摆放在最上面。

4. 鸡汤加入①料调匀，倒入火锅内(汤要盖过菜料)，加盖，边煮边吃，味道鲜美微辣。

功　效：

本菜中的葱、姜均为辛温解表药，能散表寒，用火锅与黄酒、胡椒粉等合用更能增发汗散寒之力。实为冬日治疗风寒感冒有效而美味的一种食疗。

花露玉液

材　料：

① 金银花 ……… 30 克
　玫瑰花 ……… 15 克
　菊花 ……… 12 克

① 玉竹 ……… 12 克
　山楂 ……… 10 克
　蜂蜜 ……… 250 克

做　法：

将①料放入砂锅中，加水 350 毫升，加盖，置大火上烧沸，3 分钟后滤取药液一次，再加 250 毫升的水煎熬，再滤汁一次，将两次药液混合、过滤，加入蜂蜜搅匀即可。

功　效：

1. 适用于风热感冒而兼见阴液素亏，胃纳不佳、口燥、便秘者。
2. 饮中金银花、菊花可解表散风热；玫瑰花理气，配合山楂以开胃；玉竹合蜂蜜滋阴润燥，为阴虚感冒患者常用而又效果明显的饮料。

备　注：

1. 每次饮 40 毫升，每日 3 次。
2. 金银花、玫瑰花、菊花均为干品。

翠波涵璧

材　料：

鲜菠萝 ……… 300 克
鲜芦笋 ……… 60 克
甜杏仁粉 ……… 40 克
洋菜 ……… 20 克

① 霜桑叶 ……… 5 克
　黄菊花 ……… 5 克
　薄荷 ……… 3 克
　鲜竹叶 ……… 30 克

② 杏仁精 ……… 少许
　糖 ……… 1½ 大匙

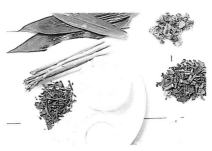

做　法：

1. 菠萝削皮洗净，切成正方小块，摆放于深盘中。
2. 鲜芦笋榨汁，浇入深盘中。
3. 杏仁粉加水 100 毫升，磨成浆，过滤去渣备用。
4. 洋菜加水 600 毫升煮溶，加入杏仁浆、②料，搅匀烧开，盛入深盘内，待凉后入冰箱冻成块，取出切成小方块，摆放于盘中。
5. 将①料放入茶壶内，用开水泡 10 分钟，滤汁，凉后浇入盘中即可。

功　效：

1. 本菜适用于风热感冒，见发热、咽痛、咳嗽为主症者，并可治眼部的急性结膜炎。
2. 菜中菠萝甘凉；芦笋清热生津；杏仁化痰润肺止咳，①料的组成为中医治疗风热感冒的名方"桑菊饮"减味而成。本菜白绿相映，色泽鲜润，如对清泉碧波，烦热顿消。

防风玉屏

材　料：

鹌鹑	……… 300 克	花生油	……… 3 大匙
① 黄芪片	……… 20 克	葱姜末	……… ½ 大匙
防风	……… 4 克	鲜汤	……… 1¼ 杯
白术	……… 5 克	淀粉	……… 1 小匙
② 糖	……… 1 大匙	味精	……… 少许
盐	……… ⅗ 小匙	麻油	……… 少许
酱油	……… 1 大匙	葱花	……… 少许
黄酒	……… 少许	纱布袋	……… 1 个

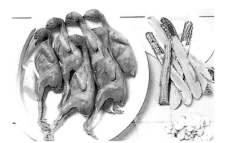

做　法：

1. 把鹌鹑宰杀，再用热水汆烫、褪毛，然后剖腹去除内脏，冲干净，斩去头、爪，切成长 2 厘米的块状。
2. 炒锅入油，烧热，投入葱姜末，煸出香味，再把肉块放入煸炒，煸透后加入②料一起翻炒，翻炒时不断将汤汁浇在肉块上，使之变成酱红色。
3. 将①料入纱布袋，扎紧，放入锅中加入鲜汤和½杯的水，盖上锅盖，小火煮 30 分钟。
4. 出锅前将纱布袋取出，加入味精和淀粉勾芡，淋上麻油，撒上少许葱花即可。

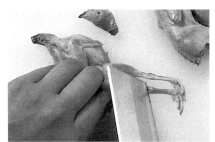

功　效：

1. 补气固表，适用于气虚感冒，并可作为平素少气乏力、畏寒易汗、易患感冒之人强身之剂。
2. 菜中的①料为中医治气虚自汗、易感冒的名方"玉屏风散"。
3. 鹌鹑有"动物人参"之誉，为补气佳肴，配以黄芪则力更甚。本菜尚可用于气虚引起的水肿和内脏下垂。
4. 若无鹌鹑可用乳鸽代替。

清白传家

材 料：

小白菜 ·······　250 克
豆腐 ·······　150 克
① 连须葱白 ·······　5 根
　 淡豆豉 ·······　6 克
鲜汤 ·······　¾ 杯
葱丝 ·······　½ 大匙
姜丝 ·······　½ 大匙

② 盐 ·······　⅔ 小匙
　 味精 ·······　少许
淀粉 ·······　½ 大匙
花生油 ·······　4 小匙
麻油 ·······　少许
香油 ·······　少许

做 法：

1. 将小白菜去根，摘去黄叶，洗净，切成 3.5 厘米长的段，再用开水烫一下，捞出后入水待凉，沥干水分；豆腐切成 2.5 厘米见方的块，放入开水锅中煮熟捞出，沥净水分备用。

2. 将①料和②料放入小砂锅中，加水 200 毫升，加盖，煎 5 分钟，滤取汁 150 毫升，待凉后和淀粉调匀备用。

3. 炒锅置火上，放入花生油，油热入葱丝、姜丝，爆香，入豆腐块，加鲜汤。烧开后，放入小白菜，用微火炖 5 分钟，将①料和②料的煎汁勾芡，淋上麻油、香油装盘即可。

功 效：

本菜适合风寒感冒患者食用，菜中的葱白和豆豉煎汁名为"葱豉汤"，为中医治疗风寒感冒轻症的常用方，此方源于晋朝葛洪的《肘后方》，味辛香清淡，无药味。将其与青菜、豆腐合用，不仅富于营养与维生素，且色泽青白鲜艳，易于引发食欲。

缺铁性贫血药膳

贫血，是指循环血液内的单位红细胞数目和单位血红蛋白量低于正常。铁是制造血红蛋白的主要原料之一，二价铁(Fe^{2-})与原卟啉结合，形成血红素，血红素与珠蛋白结合构成血红蛋白。铁缺乏时，血红蛋白的合成则受到影响，而造成贫血。因铁缺乏而造成的贫血，称为缺铁性贫血。

引起缺铁性贫血常见的原因有长期失血（如上消化道出血、钩虫病肠道出血、痔疮出血、月经过多等）、铁需要量增加（如妇女妊娠期和儿童生长期）、胃肠道功能紊乱（胃酸减低或缺乏、胃切除、长期腹泻）等。

缺铁性贫血的病床表现，除有一般贫血所具备的皮肤黏膜苍白、倦怠乏力、头晕、心悸、短气等症状外，尚可见到食欲减退、恶心、吞咽困难、舌炎、指甲扁平、皮肤干燥萎缩和毛发枯落等。

缺铁性贫血属于中医血虚、虚劳、血枯等病证范畴。按其临床表现，有心脾血虚证、肝血亏虚和肾精亏虚证。心脾血虚的症候特点为心悸、气短、健忘、纳少、食后腹胀；肝血亏虚的症候特点为月经量少、肢麻、指甲干枯变形；肾精亏虚证的症候特点为胫酸、头晕耳鸣、视物不明、性欲减退。

缺铁性贫血的治疗，首先必须解除引起贫血的始因。在此基础上，再进行药物和食物治疗才能收效。

由于酸性物质利于铁的吸收，而碱性物质不利于铁的吸收。因而缺铁性贫血患者的饮食原则应稍偏酸，且应富含铁、铜、蛋白质、叶酸和维生素。而脂肪则不宜过多，以免引起腹泻，造成消化吸收不良。茶叶中的鞣酸易于铁结合，形成不溶性的盐类，故应忌饮茶。

南海望潮

材料：

鲜章鱼 ·········· 350 克
鲜黄瓜 ·········· 50 克
青椒 ·········· 100 克
葱姜丝 ·········· 1 大匙
淀粉 ·········· 适量
油 ·········· 适量
麻油 ·········· 少许

① 盐 ·········· ½ 小匙
酱油 ·········· 1½ 小匙
黄酒 ·········· 适量
米醋 ·········· ½ 小匙
味精 ·········· 少许
胡椒粉 ·········· 少许

做 法：

1. 章鱼洗净，剖成几大块，用刀轻轻刮去皮和黏膜，切成长3.5 厘米、宽0.5厘米的薄片。

2. 黄瓜、青椒去籽洗净，切成与章鱼大小相等的片备用。

3. 将章鱼片放在漏勺里，入沸水中汆一下，立即取出。

4. 炒锅注油、烧热，将葱姜丝、黄瓜片、青椒片、章鱼片放入，快速煸炒几下，再加入①料及少量水翻炒均匀，入淀粉勾芡，炒匀后淋上麻油即可。

功 效：

1. 补气益血，主治缺铁性贫血，肝血亏虚兼见气虚者。

2. 黄瓜、青椒含有大量维生素；章鱼可以补血益气。

3. 《泉州本草》一书，就有章鱼和姜、醋同食可补血益气的记载。

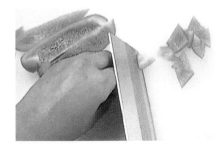

备 注：

章鱼古称"望潮"。

骊珠凤卵

材　料：

桂圆肉 ········ 20克	② { 糖 ········· 1大匙
红枣 ········ 30粒	甜桂花 ······· ⅔小匙
鸡蛋 ········ 2个	味精 ········· 少许
① { 枣仁 ········ 12克	
党参 ········ 10克	
甘草 ········· 5克	
广木香 ······· 4克	

做　法：

1. 将①料放入砂锅，加水600毫升，煎煮30分钟，滤汁300毫升备用。
2. 红枣用水洗净，浸软剥去枣核。
3. 将红枣、桂圆肉放入烧锅，加水400毫升，煮至将烂时，将鸡蛋打散，同①料的煎汁倒入煮熟，再放入②料搅匀即可。

功　效：

1. 养心脾、补气血。
2. 红枣、桂圆肉均含有多种营养和维生素，能补心脾、安神；①料中的枣仁，能养心安神；党参、甘草补气；广木香能理气、使补血不滞，增进食欲。
3. 党参、红枣相配合，又为《十药神书》所载的治贫血名方"参枣汤"。

琼液晶丸

材　料：

鲜荔枝 ················· 30粒	
① { 黄芪片 ················ 30克	
当归 ················· 10克	
糖 ···················· 1大匙	

做　法：

1. 鲜荔枝剥去壳放在碗中。
2. ①料放入砂锅，加水500毫升，煮30分钟，滤取煎汁200毫升备用。
3. 将①料的煎液调入糖，浇在荔枝上，浸30分钟后倒在平盘中即可。

功　效：

1. 养心脾、补气血，适用于缺铁性贫血心脾血虚证。
2. 荔枝甘平，能生津、益血；黄芪、当归相配合即为"当归补血汤"，为中医治疗贫血的名方。

绿波响铃

材　料：

菠菜	300克	鸡蛋	1个
鸡肝	300克	面粉	2大匙
黄酒	4大匙	熟黑芝麻	50克
① ｛ 盐	⅗小匙	花生油	适量
味精	少许		
葱姜末	1大匙		
胡椒粉	少许		

做　法：

1. 将菠菜洗净，切成2厘米长的段，锅中放油快炒，装入盘中，摊平。

2. 鸡肝洗净，剔去胆囊和附近的筋膜，把鸡肝切成两半，放入碗中，加入①料拌匀，浸渍片刻。

3. 鸡蛋打入另一碗内，搅匀，加入面粉调成糊状，把鸡肝放入糊内拌匀，使鸡肝沾满一层薄薄的蛋糊，然后将鸡肝逐片放在黑芝麻里，使两面都沾上黑芝麻备用。

4. 炒锅置旺火上，放入花生油，烧至五成热时，将沾满黑芝麻的鸡肝逐片放入油锅中炸，炸时火不宜太旺，亦不宜炸太久，炸熟装在菠菜上即可。

功　效：

1. 本道菜补肝养血，治疗缺铁性贫血的肝血亏虚证。

2. 菠菜富含维生素和铁质；鸡肝能补肝养血，主治血虚萎黄和产后血虚；黑芝麻能补肝肾，养血润肠。

出水芙蓉

材　料：

鸡脯肉 ⋯⋯⋯⋯ 150克	鸡蛋清 ⋯⋯⋯⋯ 2个
虾仁 ⋯⋯⋯⋯ 50克	葱姜汁 ⋯⋯⋯⋯ 2小匙
鱼腹膘肉 ⋯⋯⋯ 50克	② 黄酒 ⋯⋯⋯⋯ 少许
猪肥膘肉 ⋯⋯⋯ 25克	盐 ⋯⋯⋯⋯ ⅗小匙
火腿末 ⋯⋯⋯⋯ 25克	味精 ⋯⋯⋯⋯ 少许
青豌豆 ⋯⋯⋯⋯ 7粒	鸡汤 ⋯⋯⋯⋯ 1½大匙
青菜叶 ⋯⋯⋯⋯ 11片	高汤 ⋯⋯⋯⋯ 少许
① 党参 ⋯⋯⋯⋯ 12克	鸡油 ⋯⋯⋯⋯ 1½小匙
当归 ⋯⋯⋯⋯ 8克	

做　法：

1. 把鸡脯肉、鱼膘肉分别放在水里泡20分钟，换水洗净。鸡脯肉用刀背捶松，与鱼膘肉、虾仁、猪肥膘肉剁烂成茸，装入碗内，放入②料及少许鸡汤，同一方向搅20分钟。

2. 将①料入小砂锅，加水200毫升，煎30分钟，滤汁50毫升。

3. 把青菜叶用开水烫一下，放到冷水里浸透，捞起沥干水分，剪成大小如汤匙的荷花瓣状10片，另剪成如酱油盘大小的圆形1片。

4. 取10个汤匙，分别抹上点鸡油，铺上荷花瓣形的叶片，摆上鸡茸抹平，上面撒上少许火腿茸；另取酱油碟1个，抹点鸡油，铺上圆形叶片，摆入鸡茸，中间置1粒豌豆，周围置6粒，形如莲蓬，与荷花瓣一起上笼，蒸5分钟取出，去匙碟，在盘中摆成荷花状。

5. 炒锅放到小火上，放入①料的煎汁及少许鸡汤、盐、味精，并以淀粉勾芡，淋上鸡油，浇到荷花上即可。

功　效：

1. 补气、健脾、养血，用于缺铁性贫血的心脾血虚证。

2. 本菜富含蛋白质和多种维生素。党参、当归能益气养血。

单纯性肥胖药膳

　　肥胖是指人体脂肪积聚过多，超过规定标准。一般而言，体重超过正常标准 10% 为超重，超过 20% 以上即为肥胖。

　　成人正常标准体重是：男性体重（千克）＝身高（厘米）－100；女性体重（千克）＝身高（厘米）－102。

　　引起肥胖的原因很多，多由于内分泌紊乱或其它疾病继发而致。单纯性肥胖是由于代谢调节障碍，食入太多，消耗太少，体内营养过剩而致，故又称营养性肥胖。

　　肥胖不仅使人体态臃肿，有碍活动，多余的脂肪还易积存于肝脏、血管，从而引起冠心病、高血压、糖尿病、脂肪肝、胆石症和痛风等疾病。

　　中医认为肥人多痰、肥人多气虚，肥胖证主要系由于脾虚、气虚或因长期嗜食肥甘，致水谷之精不归正化，酿为痰湿，壅积体内所致。早期多实，久肥多虚实相兼。实证特点为体丰光润，声音宏亮，胃纳极佳。虚实相兼者肌胖多呈虚浮貌、动则气促、易汗、肤色无光、精神多萎。

　　肥胖人的饮食宜以清淡、低脂、低糖、高纤维素为原则。

平湖秋月

材　料：

山药粉 ·············· 400 克	糖桂花 ············ 1 小匙
香蕉 ················ 2 根	青丝 ············· ¼ 大匙
淀粉 ················ 2 大匙	红丝 ············· ¼ 大匙
糖 ················ 1½ 大匙	干荷叶 ············ 20 克
芝麻 ················ 30 克	

做　法：

1. 将香蕉去皮切成小块，加水 200 毫升，用果汁机打成泥，与山药粉相拌和，边拌边加入淀粉和匀。
2. 芝麻淘净后沥干水分，炒香，再研细，并拌入糖和糖桂花作馅。
3. 将山药香蕉泥搓圆擀平，把芝麻馅包入其中，压平，取适当大碗反扣其上，按碗边印迹，修圆后上笼蒸熟。
4. 干荷叶洗净，加水 250 毫升，煎 5 分钟后，取滤汁 200 毫升倒入汤盘，撒入青、红丝作藻，将蒸好的山药饼沉入其中即可。

功　效：

1. 健脾、利气、化湿，适用于脾虚或老人肥胖而兼见腹胀气滞者。
2. 菜肴中主料山药可健脾；荷叶可去脂减肥。

天酒轻身

材　料：

玫瑰花露 ······················· 40 毫升
干荷叶 ························· 20 克
茉莉花 ·························· 6 克
蜂蜜 ························· 10 克

做　法：

1. 干荷叶、茉莉花洗净后，将荷叶揉细与茉莉花拌匀，放另一杯中，冲入沸水 500 毫升，加盖浸闷，10 分钟后滤汁。
2. 滤汁与玫瑰花露相混，加入蜂蜜搅匀即可。

功　效：

1. 芳香醒脾、化湿、减肥、美容，适用于肥胖而兼见胸脘痞闷、气机不畅者。
2. 饮中玫瑰花经研究证实，能解毒和促进胆汁分泌；荷叶可降血脂；茉莉花芳香理气、醒脾；花露与蜂蜜合用，尚能润燥悦颜。

备　注：

1. 晨起将初放的玫瑰花上的露水收集下来，即为玫瑰花露。如花上露水不多或不易收集，可取刚开放的玫瑰花数朵榨汁。
2. 露水雅称"天酒"。

白龙捐须

材　料：

① ⎰ 盐 ··········· ½ 大匙　　绿豆芽 ··········· 500 克
　　味精 ·········· 少许　　海虾米 ··········· 20 克
　　酱油 ·········· 1 大匙　　决明子 ··········· 10 克
　　米醋 ·········· ½ 小匙
　　姜末 ·········· ½ 小匙
　　麻油 ·········· 少许

做　法：

1. 绿豆芽摘去根，用水冲洗 2 至 3 次，沥干水分。
2. 海虾米用水洗净，放小碗中，冲入沸水浸开。
3. 决明子放入小砂锅，加水 100 毫升，煮 10 分钟，滤取汁 30 毫升备用。
4. 锅内放水烧开，倒入绿豆芽烫一下，迅速取出，沥净水分，盛入盘中。
5. 将虾米捞出，放在绿豆芽上。
6. 取一小碗，放入决明子的煎汁和①料拌匀，浇在菜上即可。

功　效：

1. 清热、解酒、通便、减肥，适合于体肥有热、便秘嗜酒者。
2. 在诸豆中，绿豆含脂肪最低，每百克仅含脂肪0.5 克，绿豆芽含脂肪量则更少，但其它营养成分却不低。绿豆芽与决明子均性寒，能清热去脂、通便，绿豆芽且能解酒。

备　注：

豆芽雅称"白龙须"。

青玉堆雪

材 料：

大黄瓜 ·············· 300克	糖 ············· ½小匙
海蜇 ·············· 200克	酱油 ·········· 1大匙
乌梅 ·············· 10克	麻油 ············ 少许
盐 ·············· 1⅓小匙	味精 ············ 少许

①

做 法：

1. 大黄瓜削去皮、蒂，剖开去籽瓤，洗净，切成长3.5厘米的段，再横切成薄片，放入大碗中加盐腌5分钟，挤干水分，放在盘中备用。

2. 海蜇洗净，温水浸泡后，沥干，切成细丝，堆放在黄瓜上。

3. 将乌梅放入小砂锅中，加水60毫升，煎10分钟，滤取汁10毫升，再与①料搅匀，浇在盘上即可。

功 效：

1. 清热生津，化痰减肥，尤适用于肥胖而兼有内热口渴者。

2. 黄瓜、海蜇性寒能清热化痰；乌梅汁、糖合用能酸甘化阴。

翠崖灵芝

材　料：

白菜心 ⋯⋯⋯⋯⋯ 400 克
虾米 ⋯⋯⋯⋯⋯⋯ 15 克
紫灵芝 ⋯⋯⋯⋯⋯⋯ 1 朵
紫灵芝粉 ⋯⋯⋯⋯⋯ 2 克
淀粉 ⋯⋯⋯⋯⋯⋯ ½ 大匙

① ⎧ 盐 ⋯⋯⋯⋯⋯⋯ ⅔ 小匙
　 ⎨ 味精 ⋯⋯⋯⋯⋯⋯ 少许
　 ⎩ 糖 ⋯⋯⋯⋯⋯⋯ ½ 小匙
清汤 ⋯⋯⋯⋯⋯ 30 毫升
花生油 ⋯⋯⋯⋯ 3 大匙

做　法：

1. 白菜心洗净、修整齐，将菜根部修圆，再用刀将根部以"十"字形剖开 6 厘米。

2. 虾米用清水洗净，浸于沸水中泡开，切成细末；紫灵芝用水洗净，将根修平，抹上麻油备用。

3. 将灵芝粉放小碗中，冲入沸水 30 毫升，浸 10 分钟，滤汁 20 毫升备用。

4. 取锅一个，放旺火上，入油及水（以淹盖过白菜心为量），烧至水沸时，投入白菜心煮软，倒入漏勺沥尽油，将菜心根十字摊开，向内摆平，一层层整齐地掀开放于盘中，堆成盘中高外边低造型。

5. 另取一锅，放入灵芝汁，倒入清汤，加虾米和①料，烧沸后，用少许淀粉勾芡，浇在盘中央。

6. 将整朵灵芝摆放在盘中央最高处即可。

功　效：

1. 促进肠蠕动、改变体内酸碱平衡、安神，适用于嗜食肥甘而致的单纯性肥胖、血脂偏高、睡眠不佳者。

2. 民谚有"百菜不如白菜"，菜心富含维生素 C 和钙等微量元素。中医认为白菜有通利肠胃、除胸中烦、解毒醒酒、消食下气、利大小便等功能；灵芝有"仙草"之称，有安神、降血脂之功。

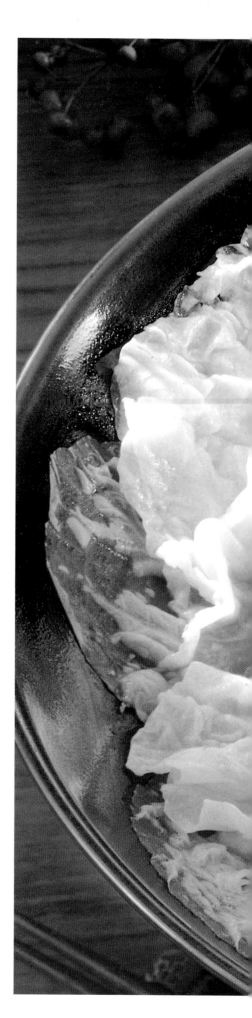

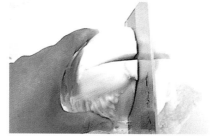

性功能康复及延年益寿药膳

　　夫妇两性和乐,不仅可加固夫妻感情、增进家庭幸福,且有利于健康和工作。而性功能失常则是直接影响夫妇两性和乐的首要因素。性功能失常最常见的病症有早泄、阳萎、性冷淡、性交痛。早泄即甫交即泄,多与相火偏旺、精关不固有关;阳萎,即在一定年龄范围内,临房时阴茎萎软或举而不坚,不能性交,多与肾精、肾气亏损或湿热内蕴有关;性冷淡,即性欲减退,不愿同房(多见于女性),多与肝气郁结及体内阴阳失调有关;性交痛,即性交时女性阴部疼痛,见于阴道痉挛及子宫内膜移位症,多与气血经脉失和有关。

　　延年益寿,为人类的共同愿望,中医认为人的衰老及寿命的长短与脏腑功能是否强盛,精、气、血是否衰少有直接关系。根据脏腑功能及气血盛衰的状况进行调养,是中医抗老延年的基本思想。中医认为人体自然衰老的一般规律是50岁左右肝气衰,表现为视物不明、筋力懈惰;60岁左右心气衰,表现为易忧虑悲伤、心悸怔忡、气短胸闷等;70岁左右脾气衰,表现为皮肤枯皱、食少、腹泻或便秘;80岁左右肺气衰,表现为气短不续、咳嗽多痰、胸闷自汗、言语多误;90岁左右肾气衰,表现为发堕齿槁、头昏耳鸣、腰痛乏力、尿频或失禁、脏腑经脉空虚;百岁左右,则五脏皆虚。

　　气、血、精、津液为脏腑活动的产物亦是脏腑活动的物质基础。气虚的特点为少气乏力、动则气促、肢体懈惰;血虚的特点为面色无华、毛发枯焦、失眠、健忘;精亏的特点为视物不明、头晕、耳鸣、齿枯发落、腰膝酸楚;津亏的特点为:口咽干燥、肠燥便秘等。此外血虚精亏,又称为阴虚。气虚兼见畏寒怕冷,又称阳虚。

　　性功能失常及延年益寿的饮食原则是对症调补,或清补或温补或补中有泻,力戒滥补、峻补。

麻姑献寿

材 料：

① { 蘑菇 ·········· 200 克
  { 草菇 ·········· 200 克
  干香菇 ·········· 100 克
  青豌豆 ··········· 50 克
  竹笋片 ··········· 30 克
  鸡汤 ······· 400 毫升

葱姜末 ·········· 1½ 小匙
盐 ················ ⅔ 小匙
味精 ·············· 少许
糖 ················ ⅔ 小匙
淀粉 ·············· ½ 大匙
花生油 ············ 适量
麻油 ·············· 少许

做 法：

1. ①料去梗、洗净；香菇洗净，泡软后去梗；青豌豆洗净。
2. 炒锅上旺火，注油烧热后，入葱姜末爆香，再入①料翻炒，加入鸡汤、笋片、香菇、青豌豆、盐、味精、糖，煮约2分钟，用淀粉勾芡，淋上麻油即可。

功 效：

健脾化痰、降血压、防癌，用于脾胃虚弱及高血压者，常吃能防癌健身。

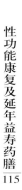

百花如意

材　料：

① 人参 ························· 15 克
　白芍 ························· 60 克
　核桃肉 ······················ 200 克
　花椒 ························· 2 克
　红糖 ························· ¼ 杯
　黄酒 ························· 1000 毫升

做　法：

1. 取一大瓷罐，将①料放入。
2. 将红糖加入黄酒中，搅拌溶解后，倒入瓷罐中，盖过药物，封紧罐口，10 天后即可启封饮用。

功　效：

1. 缓急解痉、调经止痛，适用于阴道痉挛或子宫内膜异位引起的性交痛。对痛经及子宫内膜异位也有一定的治疗作用。
2. 人参、白芍益气养血、缓急止痛；核桃肉补肾固精；花椒温中止痛。

备　注：

每日饮用适量，可一日食 3 枚核桃肉。

紫气东来

材　料：

干紫菜 ········ 6 克　　　葱姜末 ·········· 适量
海虾仁 ········ 60 克　　　盐 ············ ½ 小匙
鸡蛋清 ········ 1 个　　　味精 ·········· 少许
① 紫梢花 ········ 5 克　　　油 ············ 适量
　仙灵脾 ········ 10 克　　　纱布袋 ········· 1 个
黄酒 ·········· 1 小匙

做　法：

1. 紫菜用水泡开，滤去泥沙，捞出沥水；①料入纱布袋扎好备用。
2. 海虾仁洗净，拌上鸡蛋清，将虾仁入油锅煸炒，并加入黄酒及葱姜末，炒至七分熟时，加入盐、①料及水，水要淹过所有材料，煮 15 分钟左右。
3. 煮开后，去纱布包，将剩余的鸡蛋清搅匀，加入汤中，再加入味精、葱姜末即可。

功　效：

1. 温肾助阳，适用于肾阳不振的阴冷、性冷淡。
2. 海虾补肾壮阳、滋阴健胃；紫梢花温阳补虚，仙灵脾温肾壮阳，两者都有兴奋性功能之功用。

备　注：

紫梢花具毒性，请勿直接用手触摸。

性功能康复及延年益寿药膳

琴瑟和鸣

材　料：

猪肚	1个	大茴香	4个
① 芡实	30克	葱姜丝	适量
金樱子	30克	黄酒	少许
② 葱姜丝	1大匙	味精	少许
黄酒	1⅓大匙	盐	适量
盐	⅔小匙	清汤	适量
味精	少许		
糖	⅔小匙		

做　法：

1. 猪肚用盐反复搓洗，洗净沥水后，入沸水烫一下，捞起撕去胃底部的膜，翻过来刮尽油脂，再入沸水烫一下，放入冷水中洗净，沥干水分，翻回原状。

2. ②料放于碗中略拌，连同①一起装入猪肚内，两段开口处用线扎紧。

3. 将扎好的猪肚放入砂锅中，加入清汤淹没猪肚，并加葱姜丝、黄酒、味精及大茴香，置小火上炖酥，加盐调味即可。

功　效：

1. 固精止遗，适用于行房早泄。对梦遗及妇人体虚、白带多、子宫下垂等均有疗效。

2. 猪肚健脾胃、补虚损；芡实、金樱子固肾涩精止遗。

性功能康复及延年益寿药膳

118

太极浑元

材 料：

中筋面粉	2 杯	②｛龟板胶	5 克
山药粉	50 克	鹿角胶	5 克
黑芝麻	30 克	黄酒	1½ 大匙
白芝麻	30 克	金橘饼	10 克
①｛豆沙	100 克	糖桂花酱	2 克
枣泥	50 克	葡萄干	10 克
熟地	20 克	鸡蛋清	1 个
人参粉	5 克	花生油	少许
天冬	6 克		

做 法：

1. 将熟地浸软，取出捣成泥；天冬浸软，剁成碎末；②料放碗中，加黄酒及少量水，隔水蒸烂。

2. 金橘饼切碎，葡萄干用水泡软，同①料和蒸烂的②料及糖桂花酱拌匀做成馅。

3. 将中筋面粉用温开水和好，加少许油揉透，擀平，加入馅包成一大圆饼，表面刷上鸡蛋清，分别用黑、白芝麻均匀黏于饼上，成阴阳太极圆。

4. 取一平锅，加油，以小火加热，待油温达五成热时，将饼下锅，煎至两面呈金黄色即可。

功 效：

1. 补命门、益五脏、培元气、调阴阳，用于阴阳、气、血、精、津各种亏损，常食可防病健身、延年益寿。

2. 天冬、熟地、人参，中医合称为三才，分别补益上、中、下三焦；龟、鹿分别得天地间阴气、阳气最厚，龟、鹿二胶可元精、补阴阳。

最新引进优秀版本

情调生活系列

定价: 38.00 元

定价: 38.00 元

定价: 38.00 元

现代人饮食系列

定价: 38.00 元

定价: 38.00 元

定价: 38.00 元

大幅彩色图片，内容满足中国人现代生活需求